"十二五"国家重点图书出版规划项目

CHINA WETLANDS RESOURCES
Guangdong Volume

中国湿地资源

广东卷

◎ 国家林业局组织编写

中国林業出版社

图书在版编目（CIP）数据

中国湿地资源·广东卷 / 国家林业局组织编写；许文安，叶冠锋分册主编．– 北京：中国林业出版社，2015.12

“十二五”国家重点图书出版规划项目

ISBN 978-7-5038-8282-1

Ⅰ．①中… Ⅱ．①国… ②许… ③叶… Ⅲ．①湿地资源 – 研究 – 广东省 Ⅳ．① P942.078

中国版本图书馆 CIP 数据核字（2015）第 296574 号

总 策 划： 金 旻

策划编辑： 徐小英

主要编辑： 徐小英 刘香瑞 李 伟

何 鹏 于界芬

美术编辑： 赵 芳

出版发行 中国林业出版社（100009 北京西城区刘海胡同 7 号）

http://lycb.forestry.gov.cn

E-mail:forestbook@163.com 电话：(010)83143515、83143543

设计制作 北京捷艺轩彩印制版有限公司

印刷装订 北京中科印刷有限公司

版 次 2015 年 12 月第 1 版

印 次 2015 年 12 月第 1 次

开 本 787mm × 1092mm 1/16

字 数 255 千字

印 张 10

定 价 80.00 元

中国湿地资源系列图书
编撰工作领导小组

顾　问： 陈宜瑜　李文华　刘兴土

组　长： 张永利

副组长： 马广仁

成　员：（按姓氏笔画排序）

王文宇　王忠武　王海洋　韦纯良　邓乃平　邓三龙
兰宏良　刘建武　刘艳玲　刘新池　李　兴　李三原
李永林　来景刚　吴　亚　张宗启　陆月星　陈则生
陈传进　陈俊光　林云举　呼　群　金　旻　金小麒
周光辉　降　初　孟　沙　侯新华　夏春胜　党晓勇
徐济德　奚克路　阎钢军　程中才　雷桂龙　蔡炳华
樊　辉

中国湿地资源系列图书
编撰工作领导小组办公室

主　任： 马广仁

副主任： 鲍达明　唐小平　熊智平　马洪兵

成　员： 王福田　姬文元　刘　平　闫宏伟　李　忠　田亚玲
王志臣　张阳武　但新球　刘世好　王　侠　徐小英

《中国湿地资源·广东卷》
编辑委员会

《中国湿地资源·广东卷》
编写组

主　　编： 许文安　叶冠锋

副 主 编： 郭盛才　胡喻华　张伟彬　张春霞

编 著 者： 叶冠锋　肖智慧　林寿明　陈汉坤　陈富强
林　术　许文安　郭盛才　张伟彬　胡喻华
张春霞　陈　盼　屈　明　梁银凤　黄穗昇
王喜平　刘凯昌　陈秋菊　罗发民　练　丽
罗广军　彭威雄　谭志权　陈汶锋　陈　斐
陈楚民　杨佐兵　吴欢燕　赖宇燕　姚　超

主　　审： 刘凯昌

插图编绘： 陈　盼

照片摄影： 许文安　郭盛才　胡喻华　黄穗昇　梁银凤

总 序

湿地是地球表层系统的重要组成部分，是自然界最具生产力的生态系统和人类文明的发祥地之一。在联合国环境规划署（UNEP）委托世界自然保护联盟（IUCN）编制的《世界自然资源保护大纲》中，湿地与森林和海洋一起并称为全球三大生态系统。湿地具有类型多样、分布广泛的特点；湿地更重要的是还具有多种供给、调节、支持与文化服务功能，是人类重要的生存环境和资源资本。湿地与人类生产生活和社会经济发展息息相关。湿地的重要性受到世界各国和国际社会的普遍关注。早在1971年，国际社会就建立了全球第一个政府间多边环境公约，即《关于特别是作为水禽栖息地的国际重要湿地公约》（简称《湿地公约》）。同时，该公约也是全球最早针对单一生态系统保护的国际公约。1992年中国加入《湿地公约》，自此我国湿地保护事业进入了新的发展时期。

我国加入《湿地公约》后，在国家林业局设立了专门的湿地保护和履约机构，对内负责组织、协调、指导和监督全国湿地保护工作，对外负责《湿地公约》的履约工作。近年来，中国各级政府在湿地保护方面开展了大量卓有成效的工作，采取了一系列保护和合理利用湿地资源的措施，在湿地保护规划和重点工程建设、财政补贴政策制定实施、法规制度建设、保护体系建设、科研监测、宣传教育和国际合作等方面取得了长足进步。但我国湿地生态系统仍然面临着盲目围垦与改造、污染、水土流失、泥沙淤积、生物资源过度利用等多种因素的破坏和威胁，导致面积减少，生态功能下降，生物多样性丧失。因此，切实保护和合理利用湿地资源，既是保障生态安全和国土安全的当务之急，更是中国实施可持续发展战略势在必行的要务。

开展湿地资源调查，摸清湿地资源家底，把握湿地资源动态，是所有湿地保护工作的基础，也是履行《湿地公约》各项工作的根基。2009～2013年，在中央财政的支持下，国家林业局组织开展了第二次全国湿地资源调查工作。在此期间，我有幸作为第二次全国湿地资源调查专家技术委员会的主任委员，和其他专家一起全程参与了此次湿地资源调查的主要技术环节和成果鉴定。

我认为此次调查具有以下几个特点：一是，此次调查的湿地分类、界定标准、调查方法基本与《湿地公约》规定相接轨，使得调查数据符合《湿地公约》的要求，调查成果易于被国际认可，便于国际间的对比和交流。二是，制定了内容全面、方法科学、符合国际标准的统一技术规程《全国湿地资源调查技术规程（试行）》，进行了同标准、同口径的分期分批调查。三是，本次调查利用“3S”技术与现地验证相结合的技术方法，查清了全国范围内（未包括香港、澳门、台湾）8 公顷以上的湿地资源基本情况。四是，湿地调查分为一般调查和重点调查。重点调查包括，国际重要湿地、国家重要湿地、自然保护区（含自然保护小区）和湿地公园内的湿地以及其他特有、分布濒危物种和红树林等具有特殊保护价值的湿地。五是，组织保障有力。国家层面上，成立了第二次全国湿地资源调查领导小组、专家技术委员会、中央技术支撑单位和国家质量检查组；省级层面上，分别成立了湿地调查专职机构，组建了省级专业调查队伍。

需要指出的是，第二次全国湿地资源调查期间，我国湿地保护事业发展迅速。2009 年，中央启动了“湿地生态效益补偿试点”工作；2010 年开始，中央财政设立了湿地保护补助专项资金；2012 年，党的十八大将建设生态文明纳入中国特色社会主义事业“五位一体”总体布局，提出要“扩大森林、湖泊、湿地面积，保护生物多样性”。期间，国家林业局会同相关部门认真实施了《全国湿地保护工程实施规划 (2005 ～ 2010 年)》和《全国湿地保护工程“十二五”实施规划》。2013 年，国家林业局出台的《推进生态文明建设规划纲要》划定了湿地保护红线，到 2020 年中国湿地面积不少于 8 亿亩。2013 年，国家林业局出台了第一部国家层面的湿地保护部门规章《湿地保护管理规定》。应该说，历时 5 年的湿地资源调查与同期湿地保护事业的发展，是休戚相关，相互促进的。

第二次全国湿地资源调查取得了丰硕成果。在全球范围内，我国率先完成了《湿地公约》倡导的国家湿地资源调查，首次科学、系统地查明了《湿地公约》所定义的我国湿地资源情况。建立了完整的全国湿地资源空间数据库和属性数据库，掌握了近 10 年来湿地资源动态变化情况，建立了稳定的湿地资源调查专业队伍和专家团队，形成了较为完整的湿地资源调查监测技术规范，完成了全国湿地资源总报告、分省报告和多个专题报告，编制了系列成果图。调查成果达到国际先进水平。

党的十八大对建设生态文明作出了全面部署，强调把生态文明建设放在突出地位，融入经济建设、政治建设、文化建设、社会建设各方面和全过程。在全国第二次湿地资源调查成果的基础上，系统编著形成了中国湿地资源系列图书，为新时期我国湿地保护事业奠定了坚实基础。希望本系列图书能够为我国湿地工作者在开展湿地研究、保护与合理利用工作时提供参考和借鉴。

中国科学院院士 陈宜瑜

2015 年 9 月

前 言

湿地生态系统是自然界最重要的三大生态系统之一。湿地为人类提供着重要的生态服务，被誉为“地球之肾”“物种基因库”“鸟类乐园”，它不仅为人类生产、生活提供多种资源，还在抵御洪水、调节径流、蓄洪防旱、调节气候、降解污染、维持生物多样性等方面发挥着重要作用。湿地覆盖了地球表面的 6%，却为地球上 40% 的已知物种提供了生存环境，是最富于生物多样性的生态系统。自 1992 年 1 月 3 日中国政府加入《湿地公约》，截止 2013 年年底已有 46 处湿地列入“国际重要湿地名录”，其中广东省有 3 处。

根据国家林业局的部署，广东省列为首批开展全国第二次湿地资源调查的六个省份之一。2009 年 1 月，广东省林业局成立了以张育文局长为组长的领导小组，设立了领导小组办公室和专家技术委员会，各地相应成立市级湿地资源调查工作领导小组，在国家和省级技术支撑单位——国家林业局中南林业调查规划设计院和广东省林业调查规划院的指导和配合下，组建了省、市（县）级调查队伍，全面启动广东省湿地资源调查工作。2009 年 3 月，根据国家林业局《关于印发 < 全国湿地资源调查技术规程（试行）> 的通知》（林湿发〔2008〕265 号）和国家林业局湿地保护管理中心《关于下发第二次全国湿地资源调查工作方案的通知》（林湿发〔2009〕4 号）的部署和要求，结合广东省湿地资源保护和管理的实际情况，编制了《广东省湿地资源调查工作方案》和《广东省湿地资源调查操作细则》，并下发了《关于开展全省湿地资源调查的通知》，全面组织开展湿地调查工作。2009 年 8 月，举办了湿地资源调查培训班，全省从事湿地保护的业务骨干共 120 人参加了培训。2009 年 8～9 月，湿地资源的外业调查工作全面启动，省湿地资源调查队多个外业调查组先后完成粤西、珠江三角洲、粤东和粤北等湿地区的重点调查和一般调查的实地遥感图像判读工作；10 月底，完成重点湿地外业调查，收集了大量的重点调查湿地图纸和资料；11 月，完成一般调查的外业调查工作，外业调查结束。同时，为确保本次湿地资源调查成果的准确可靠，建立了以全国湿地调查领导小组办公室、广东省湿地调查领导小组办公室为主的质量检查验收工作组，在湿地调查开展期间根据检查程序实时开展质量检查和验收，确保湿地调查各阶段工作的质量。12 月底，完成湿地资源调查的数据录入工作，并进行数据汇总和报告撰写工作。2010 年 1 月，完成湿地资源调查报告，并向湿地资源调查领导小组提交全部调查成果。2010 年 3 月，广东省林业局组织专家评审并通过了《第二次全国湿地资源调查——广东省湿地资源调查报告》。国家林业局湿地保护管理中心派出第二次全国湿地资源调查验收工作组对广东省湿地资源调查工作进行了验收。

通过第二次湿地资源调查，基本摸清了全省湿地资源的分布、类型、数量以及主要生态特征，初步完成了全省湿地植物资源、湿地动物资源、湿地自然保护区以及其它重点湿地保护与利用情况调查，建立了全省湿地资源数据库，编绘了全省湿地资源分布图，为加强湿地自然保护区、湿地公园建设，野生动植物资源保护和合理利用等提供了科学依据和本底资料。

广东省位于我国大陆最南端，陆地面积 17.98 万平方公里，大陆海岸线长 4114.3 公里，岛屿海岸线长 1649.50 公里，大小海湾 510 多个，大小海岛 759 个。主要河流有西江、韩江、北江和东江等。珠江三角洲、韩江三角洲是著名的鱼米之乡。绵长的海岸线，星罗棋布的岛屿、珊瑚礁，以及纵横交错的河流、湖泊，孕育了丰富的湿地资源。广东省湿地类型包含了近海与海岸湿地、河流湿地、湖泊湿地、沼泽湿地、人工湿地等 5 大湿地类 21 个湿地型（不包括水稻田）。调查湿地区共计 148 个，调查湿地斑块共计 14804 个，其中重点调查斑块 741 个，一般调查斑块 14063 个。全省湿地总面积 175.34 万公顷，其中天然湿地面积为 115.81 万公顷，人工湿地面积为 59.53 万公顷。按类型划分，近海与海岸湿地 81.51 万公顷，占全省湿地面积的 46.49%，其中红树林约 1.98 万公顷；河流湿地 33.79 万公顷，占全省湿地面积的 19.27%；湖泊湿地 0.15 万公顷，占全省湿地面积的 0.09%；沼泽湿地 0.36 万公顷，占全省湿地面积的 0.20%；人工湿地 59.53 万公顷，占全省湿地面积的 33.95%。

本书是在广东省第二次湿地资源调查成果的基础上组织编写的。该书的出版，向社会宣传一个完整的湿地概念，让公众较全面了解广东的湿地资源状况、湿地资源的动态变化情况以及保护现状，认识湿地与人们生产生活的紧密联系，提高对保护湿地重要性的认识，理解保护湿地对维护生态平衡、改善生态状况、实现人与自然和谐、促进经济社会可持续发展的重要意义，引起全社会对湿地保护管理工作的重视与支持。促进地方各级人民政府要高度重视湿地保护管理工作，在重要湿地分布区，要把湿地保护列入政府的重要议事日程，作为重要工作纳入责任范围，从法规制度、政策措施、资金投入、管理体系等方面采取有力措施，加强湿地保护管理工作。要积极推行领导干部抓湿地保护示范点，及时研究解决湿地保护工作中的问题，实行湿地保护检查、考核、通报和奖惩制度等行之有效的办法。要认真坚持和逐步完善综合协调、分部门实施的湿地保护管理体制，各级林业部门要做好组织协调工作，各有关部门应按照职责分工，发挥各自的优势，团结协作做好相关的湿地保护管理工作。各地区、各有关部门要广泛开展宣传教育，进一步提高全民的生态保护意识，提高保护湿地的自觉性。这也是编辑本书的目的所在。

《中国湿地资源 · 广东卷》编辑委员会

2015 年 6 月

目　录

第一章 基本情况

第一节 自然概况

1 地理位置

广东省地处中国大陆最南部，东邻福建，北接江西、湖南，西连广西，南临南海，珠江口东西两侧分别与香港、澳门特别行政区接壤，西南部雷州半岛隔琼州海峡与海南省相望。全境位于东经109°45′~117°20′和北纬20°09′~25°31′之间。全省陆地面积17.98万平方公里，约占全国陆地面积的1.9%；其中岛屿面积1592.7平方公里，约占全省陆地面积的0.9%。全省沿海有面积500平方米以上的岛屿759个，数量仅次于浙江、福建两省，居全国第三位。另有明礁和干出礁1631个。全省大陆海岸线长4114.3公里，居全国第一位。按照《联合国海洋公约》关于领海、大陆架及专属经济区归沿岸国家管辖的规定，全省海域总面积41.9万平方公里。

2 地质地貌

受地壳运动、岩性、褶皱和断裂构造以及外力作用的综合影响，广东省地貌类型复杂多样，有山地、丘陵、台地和平原，其面积分别占全省土地总面积的33.7%、24.9%、14.2%和21.7%，河流和湖泊等只占全省土地总面积的5.5%。地势总体北高南低，北部多为山地和高丘陵，最高峰石坑崆海拔1902米，位于阳山、乳源与湖南省的交界处；南部则为平原和台地。全省山脉大多与地质构造的走向一致，以北东—南西走向居多，如斜贯粤西、粤中和粤东北的罗平山脉和粤东的莲花山脉；粤北的山脉则多为向南拱出的弧形山脉，此外，粤东和粤西有少量北西—南东走向的山脉；山脉之间有大小谷地和盆地分布。平原以珠江三角洲平原面积最大，潮汕平原次之，此外还有高要、清远、杨村和惠阳等冲积平原。台地以雷州半岛—电白—阳江一带和海丰—潮阳一带分布较多。构成各类地貌的基岩岩石以花岗岩最为普遍，砂岩和变质岩也较多，粤西北还有较大片的石灰岩分布。此外，局部还有景色奇特的红色砂砾岩地貌，如著名的丹霞山和金鸡岭等。丹霞山和粤西的湖光岩先后被评为世界地质公园。沿海数量众多的优质沙滩以及雷州半岛西南岸的珊瑚礁，也是十分重要的地貌旅游资源。沿海、沿河地区多为第四纪沉积层，是构成耕地的物质基础。

3 气 候

广东省属于东亚季风区，从北向南分别为中亚热带、南亚热带和热带气候，是全国光、热和水资源最丰富的地区之一。从北向南，年平均日照时数由不足1500小时增加到2300小时以上，年太阳总辐射量在4200~5400兆焦耳/平方米之间，年平均气温约为19~24℃。全省平均日照时数为1745.8小时、年平均气温22.3℃。1月平均气温约为16~19℃，7月平均气温约为28~29℃。广东省降水充沛，年平均降水量在1300~2500毫米之间，全省平均为1777毫米。降雨的空间分布基本上也呈南高北低的趋势。受地形的影响，在有利于水汽抬升形成降水的山地迎风坡有恩平、海丰和清远3个多雨中心，年平均降水量均大于2200毫米；在背风坡的罗定盆地、兴梅盆地和沿海的雷州半岛、潮汕平原少雨区，年平均降水量小于1400毫米。降水的年内分配不均，4~9月的汛期，降水占全年的80%以上；年际变化也较大，多雨年降水量为少雨年的2倍以上。

洪涝和干旱灾害经常发生，台风的影响也较为频繁。春季的低温阴雨、秋季的寒露风和秋末至春初的寒潮和霜冻，也是广东多发的灾害性天气。

4 水 文

广东省河流众多，以珠江流域(东江、西江、北江和珠江三角洲)及独流入海的韩江流域和粤东沿海、粤西沿海诸河为主，集水面积占全省面积的99.8%；其余属于长江流域的鄱阳湖和洞庭湖水系。全省集水面积在100平方公里以上的各级干、支流共542条(其中，集水面积在1000平方公里以上的有62条)。独流入海河流52条，较大的有韩江、榕江、漠阳江、鉴江、九洲江等。全省多年平均降水量1771毫米，折合年均降水总量3145亿立方米。降水时程和地区上分布不均，年内降水主要集中在汛期4~10月，约占全年降水量的75%~95%；年际之间相差较大，全省最大年降水量是最小年的1.84倍，个别地区甚至达到3倍。全省多年平均水资源总量1830亿立方米，其中地表水资源量1820亿立方米，地下水资源量450亿立方米，地表水与地下水重复计算量440亿立方米。除省内产水量外，还有来自珠江、韩江等上游从邻省入境水量2361亿立方米。

广东省水资源时空分布不均，夏秋易洪涝，冬春常干旱。沿海台地和低丘陵区不利蓄水，缺水现象突出，尤以粤西的雷州半岛最为典型。

5 海洋资源

广东省海岸线长，海域辽阔，海洋资源丰富。海洋生物包括海洋动物和植物，共有浮游植物406种、浮游动物416种、底栖生物828种、游泳生物1297种。全省远洋和近海捕捞，以及海洋网箱养鱼和沿海养殖的牡蛎、虾类等海洋水产品年产量约400万吨；可供海水养殖面积77.57万公顷，实际海水养殖面积20.82万公顷，是全国著名的海洋水产大省。雷州半岛的养殖海水珍珠产量居全国首位。沿海还拥有众多的优良港口资源。广州港、深圳港、汕头港和湛江港已成为国内对外交通和贸易的重要通道；大亚湾、大鹏湾、碣石湾、博贺湾及南澳岛等地还有可建大型深水良港的港址。珠江口外海域和北部湾的油气田已打出多口出油井。沿海的风能、潮汐能和波浪能都有一定的开发潜力。广东省沿海沙滩众多，气候温暖，红树林分布广、面积大，在祖国大陆的最南端灯楼角又有全国唯一的大陆缘型珊瑚礁，旅游资源开发潜力很大。

6 土 壤

由于受地貌、气候、植物、成土母质等因素和人类活动的影响，广东省形成了多样的土壤类型。概括起来有受气候带和植被影响的地带性土壤，如砖红壤、赤红壤、红壤和黄壤等；有受岩性、地貌、水文及人类影响的非地带性土壤，如紫色土、石灰土、滨海盐渍沼泽土、滨海沙土等。

(1)砖红壤：砖红壤是热带地区代表性土壤，是在热带气候和热带季雨林条件下形成的，所处地形以丘陵台地为主，成土母质为花岗岩、玄武岩和第四纪浅海沉积物等。主要分布在广东省西南部的廉江、化州、高州、阳江一带以南地区和雷州半岛。面积共5920平方公里，约占全省土地总面积的3.32%。

(2)赤红壤：赤红壤是南亚热带代表性地带土壤，也是广东省分布面积最大的土壤类型。主要分布于本省大陆中部，大致在北回归线以南海拔300米以下的丘陵、台地。面积共6.85万平方公里，约占全省土地总面积的38.40%。

(3)红壤：红壤是本省中亚热带有代表性的土壤。红壤分布区的气候温热湿润，原生植被为亚热带常绿阔叶林，但已遭破坏，多沦为亚热带草坡，成土母质除花岗岩、砂页岩、片岩外，尚有第四纪红土、红色砂砾土等风化物。主要分布于北部地区，海拔700米或800米以下山地，面积共3.88万平方公里，约占全省土地总面积的21.78%。

(4)黄壤：黄壤是在较凉湿山地气候和亚热带常绿阔叶林条件下形成的，为本省垂直分布的地带性土壤类型。又可分为花岗岩黄壤、砂页岩黄壤和变质岩黄壤等土壤类型。面积共1.06万平方公里，占全省土地总面积的6.0%。主要分布在海拔750~1300米的山地，其下为红壤，其上为灌丛草甸土。

(5)山地草甸土：山地草甸土是在凉湿山顶气候和亚热带山顶灌丛草甸条件下形成的，为本省亚热带山地土壤垂直带谱中分布最高的土壤类型，主要分布于海拔1100~1300米以上的山顶，面积共240平方公里，约占全省土地总面积的0.12%。由于地处中山上部山脊地带，日照少，土层薄，交通不便，故开发利用价值低，但这里是涵养水源地带，必须注意保护原有的灌丛草甸和山顶矮林。

(6)石灰土：石灰土是由石灰岩风化发育而成的，属非地带性土壤，面积2830平方公里，约占全省土地总面积的1.85%，主要分布于粤北地区的阳山、连州、英德、乐昌、乳源、曲江、清远等地，以及粤西地区的云浮、阳春、罗定、封开、怀集，粤东地区的蕉岭、平远、梅县，粤中地区的新丰、龙门等地。其特点是，土层浅薄，层次不明显，养分含量较高，质地黏重，多呈中性反应。

(7)紫色土：紫色土是由紫色砂页岩发育而成的岩成土，为非地带性土壤，面积3150平方公里，约占全省土地总面积的1.61%，主要分布于粤北地区的南雄盆地、星子盆地、粤东地区的兴宁盆地、灯塔盆地，粤西地区的罗定盆地、怀集盆地等。其特点是，土层多浅薄，层次不明显，质地以壤土为主，持水性差，有机质和全氮含量低，但矿物养分丰富。

(8)滨海盐渍沼泽土：滨海盐渍沼泽土是浅海沉积、河口三角洲冲积、沉积物，以及贝壳残屑和有机质等，间歇性或长期受海水淹没而形成的，是分布在本省沿海滩涂的土壤，面积1140平方公里。其特点是，盐渍化和沼泽化十分明显，土层不明显，质地黏重，盐分高，但养分丰富。部分盐渍沼泽土生长红树林或滨海沼泽植被。

(9)滨海沙土：滨海沙土是由海积石英砂粒和贝壳碎屑等母质发育的土类，主要分布于海边狭长地带的沙滩上，面积约1130平方公里。其主要特点是，沙层深厚，结构疏松漏水，缺乏养分和有机质。沙生植被稀疏。但适合营造以木麻黄为主的沿海防护林。部分滨海沙土，为海龟产卵的良好场所。

(10)潮土：潮土是由河流冲积物发育而成的土壤，主要分布于珠江三角洲、潮汕平原以及河流两岸，面积约920平方公里。其特点是，土层深厚，层次不明显，质地砂性，土体疏松，肥力较低。这类土壤多数已开垦种植旱作而形成耕型潮土。

(11)水稻土：水稻土是发育在长期种植水稻、有周期性水耕或水旱轮作的环境下的土壤，面积共2.17万平方公里，约占全省土地总面积的12.76%。主要分布于平原、盆地、山间谷地以及部分台地、丘陵和山地。其特点是，耕层偏浅，质地大多适中，有机质和养分含量较高，多属微酸性，微生物总数多，细菌比例大。

7 动植物概况

7.1 动物资源

广东省野生动物种类丰富，与本省热带性气候、有丰富多样的地形有着密切关系。据广东省昆虫研究所动物研究室资料，广东野生动物(陆生脊椎动物)约有830种，约占全国野生动物总种数的39%。其中爬行类种数所占比例最高，为47%；最少的是两栖类，占25%。

据20世纪90年代统计，中国野生动物种数分布平均密度为每万平方公里2.17种。而广东省为39种，约为全国动物种类平均密度的18倍。

7.2 植物资源

广东省位于欧亚大陆东南部，属于高温多雨终年湿润的热带、亚热带气候，分布于全省各地的森林，全年都能生长，显示出优越的自然条件。

广东省地理位置的另一个特点是北回归线横贯中部，孕育着特有的生物物种和多种多样的森林类型。世界同一纬度地带的森林都已残缺或遭破坏而变成荒漠或半荒漠。因此，广东省的南亚热带季风常绿阔叶林，被赞誉为北回归线沙漠带上的绿洲，世界瞩目。

7.2.1 植被类型

(1)热带季雨林：热带季雨林是在热带周期性干、湿季节交替条件下形成的，为热带季风气候的地带性代表植被类型。在广东省主要分布于廉江、化州、高州和阳江一线以南，包括雷州半岛在内的北热带地区。其特点是，组成植物种类繁多，而且富于热带性，以桑科、无患子科、大戟科、楝科、番荔枝科、梧桐科、紫金牛科和橄榄科的属种为主；外貌上具有明显的干、湿季节变化；结构上可分为5层，一般板根不发达，茎花现象不普遍，大型木质藤本和附生植物均不及雨林那样丰富和发达。

(2)红树林：红树林是生长在热带海湾、河口淤泥上的植被类型。主要由红树科植物组成。从雷州半岛西岸的流沙湾向南至徐闻的海安，再向东北经湛江的赤坎、电白的水东港、阳江的闸坡港、海陵岛北岸、台山的上川岛、珠海的三灶岛、新会的崖门、东莞的太平、深圳的深圳湾，最北至饶平的柘林湾和南澳岛均有间断分布。

(3)亚热带季雨林：亚热带季雨林是中国东部南亚热带的地带性植被类型。分布于广东省中南部，其分布范围南部界线大致在廉江、化州和阳江一线以北，北部界线大致在大埔、梅县和兴宁北部、龙川南部、新丰、英德和怀集等县北部。其特点是，组成植物种类丰富，一般在1000平方米面积中有维管束植物80～100种；上层树种以壳斗科和樟科的一些喜暖种类为主，桃金娘科、楝科、桑科的一些种类次之；中下层则有茜草科、紫金牛科、棕榈科、杜英科、含羞草科等热带种类成分，甚至上层亦有少量热带树种混生；群落外貌终年常绿，但有些树木在冬春之间有短暂的集中换叶，故有较明显的季相变化。

(4)亚热带常绿阔叶林：亚热带常绿阔叶林是一种湿润性的亚热带森林，主要分布于怀集、英德、梅县、大埔一线以北，粤东山地上部和粤西云开大山北部也可生长，现存面积约55.7万平方公里。其特点是，植物种类较丰富，一般在1000平方米面积中有维管束植物70～90种；以壳斗科的锥栗属、石栎属和栎属的常绿种类占优势，樟科、山茶科、金缕梅科、杜英科、木兰科、山矾科、冬青科和杜鹃花科等种类次之；群落外貌常年以暗绿色为主，仅在冬春之间有些上层乔木换叶或开花时，才点缀着嫩绿色或黄红色的斑块；群落结构较简单，一般乔木分为两层，灌木层和草本层均较稀疏，附生维管束植物贫乏，藤本植物较少，且多为小型藤本。

(5)亚热带针叶林：广东省的亚热带针叶林有13种，只有马尾松可以形成自然林，杉树是作为栽培树种而构成人工林，其他种类则只是少量散生于山地的亚热带常绿阔叶林中。亚热带针叶林在广东省除了雷州半岛以外，各地都有分布。在垂直分布方面马尾松林分布在海拔800米以下的低山、丘陵和台地上，杉树一般分布在海拔300～1000米的山地上。

(6)亚热带草地：亚热带草地是亚热带丘陵和山地上的次生植被，在广东省的分布范围很广，分布界线与亚热带常绿季雨林和常绿阔叶林相符合。分布地区以丘陵为主，也有分布于中山和低山的，多在海拔800米以下。

除了以上类型外，广东省还有小范围分布的石灰岩植被、沼泽植被和水生植被。

7.2.2　植物种类

据现有资料统计，广东省共有野生维管束植物7055种(含种以下分类单位)，分隶于1645属，280科。在280科中，有8个科含有100种以上，它们是蔷薇科、山茶科、莎草科、唇形科、樟科、大戟科、壳斗科、豆科等。有19科含50～100种，它们是玄参科、马鞭草科、萝藦科、百合科、杜鹃花科、苦苣苔科、爵床科、野牡丹科、葡萄科、紫金牛科、毛茛科、卫矛科、蓼科、忍冬科、夹竹桃科、木犀科、五加科、旋花科和天南星科等。

广东省丰富的植物种类中，有一些是珍稀濒危植物。根据1987年国家环境保护局和中国科学院植物研究所颁发的《中国珍稀濒危保护植物名录》第一册和有关资料统计，广东省已被列为珍稀濒危植物的有79种。其中国家Ⅰ级保护植物有桫椤和银杉等2种，占全国8种的25.0%；国家Ⅱ级保护植物有白豆杉、篦子三尖杉和水松等24种，占全国159种的15.1%；国家Ⅲ级保护植物有台湾苏铁、长苞铁杉和穗花杉等41种，占全国203种的20.2%。此外，还有省级保护植物南方红豆杉、三尖杉和海南五针松等12种。

广东省野生木本植物资源极其丰富，药用植物有1141种；水果植物有214种；芳香植物有41种；油脂植物有32种；鞣料植物有138种；纤维植物有392种；用材植物约有2457种(其中特类材有格木和苏木2种，一类材有37种，二类材有95种，三类材有185种，四类材有110种，五类材有128种，另有杉木、马尾松、大叶黄杨和杨梅黄杨等4种为另计价格类)；淀粉植物有锥栗、红锥和米锥等79种；观赏植物达千种以上；有毒植物有250种。此外，还有饲用植物91种；树脂植物14种；树胶植物20种；色素植物17种；野生紫胶虫寄主树13种；甜味剂植物5种；皂素植物4种和可培植食用真菌17种等。

第二节 社会经济状况

1 行政区划

截至2008年12月31日，广东省共有21个地级市、23个县级市、41个县、3个自治县、54个市辖区、4个乡、7个民族乡、1139个镇、434个街道办事处(表1-1)。

表1-1 广东省行政区划简表

地级市	县(市、区)	辖镇、乡、民族乡、街道数
广州市(10区2县级市)	越秀区、海珠区、荔湾区、天河区、白云区、黄埔区、花都区、番禺区、南沙区、萝岗区、▲从化市、增城市	34镇131街道
深圳市(6区)	福田区、罗湖区、盐田区、南山区、宝安区、龙岗区	55街道
珠海市(3区)	香洲区、金湾区、斗门区	15镇8街道
汕头市(6区1县)	金平区、龙湖区、澄海区、濠江区、潮阳区、潮南区、▲南澳县	32镇37街道
佛山市(5区)	禅城区、南海区、顺德区、高明区、三水区	21镇12街道
韶关市(3区4县1自治县2县级市)	浈江区、武江区、▲曲江区、▲乐昌市、▲南雄市、▲仁化县、▲始兴县、▲翁源县、▲新丰县、▲乳源瑶族自治县	93镇11街道1民族乡
河源市(1区5县)	源城区、▲东源县、▲和平县、▲龙川县、▲紫金县、▲连平县	97镇4街道1民族乡
梅州市(1区6县1县级市)	▲梅江区、▲兴宁市、▲梅县、▲平远县、▲蕉岭县、▲大埔县、▲丰顺县、▲五华县	104镇6街道
惠州市(2区3县)	惠城区、惠阳区、▲惠东县、博罗县、▲龙门县	51镇16街道1民族乡
汕尾市(1区2县1县级市)	城区、陆丰市、▲海丰县、▲陆河县	42镇10街道
东莞市		28镇4街道
中山市		18镇6街道

（续）

地级市	县(市、区)	辖镇、乡、民族乡、街道数
江门市(3区4县级市)	蓬江区、江海区、新会区、台山市、开平市、鹤山市、恩平市	62镇17街道
阳江市(1区2县1县级市)	江城区、▲阳春市、阳东县、阳西县	39镇9街道
湛江市(4区2县3县级市)	赤坎区、霞山区、麻章区、坡头区、雷州市、廉江市、吴川市、遂溪县、徐闻县	85镇32街道2乡
茂名市(2区1县3县级市)	茂南区、茂港区、▲信宜市、▲高州市、化州市、电白县	87镇22街道
肇庆市(2区4县2县级市)	端州区、鼎湖区、四会市、▲高要市、▲广宁县、▲德庆县、▲封开县、▲怀集县	95镇12街道1民族乡
清远市(1区3县2自治县2县级市)	清城区、▲英德市、▲连州市、▲佛冈县、▲清新县、▲连山壮族瑶族自治县、▲连南瑶族自治县、▲阳山县	77镇5街道3民族乡
潮州市(1区2县)	湘桥区、▲饶平县、▲潮安县	41镇9街道
揭阳市(1区3县1县级市)	榕城区、▲普宁市、揭东县、▲揭西县、惠来县	63镇18街道2乡
云浮市(1区3县1县级市)	▲云城区、▲罗定市、▲新兴县、▲郁南县、▲云安县	55镇10街道
全省合计	21个地级市，23县级市、41个县、3个自治县、54个市辖区，4个乡、7个民族乡、1139个镇、434个街道办事处	

注：▲为山区县。

2 人 口

截至2008年年末，广东省常住总人口为9544万人，全省2008年人口出生率11.80‰，出生人口112万人；人口死亡率4.55‰，死亡人口43万人；人口自然增长率7.25‰，自然增长人口69万人。

2008年，广东常住人口年龄结构延续2007年的变化特征：0~14岁人口比重继续减少，15~64岁人口持续增加，65岁人口比重加速升高。全省2008年0~14岁人口1875万人，占常住人口的19.65%；15~64岁人口6913万人，占72.43%；65岁以上人口756万人，占7.92%。2005~2008年，全省65岁以上老年人口比重从681.28万人增加到756万人，增幅10.97%，全省人口老龄化程度逐步加深。但由于15~64岁劳动力资源人口基数大，因此，全省2008年总人口抚养比呈下降趋势，为38.06%，比2007年下降0.16个百分点。广东仍处于劳动力资源丰富、负担相对较轻的“人口红利期”。

3 民 族

广东是56个民族成员齐全的省份。汉族人口占全省总人口的97.89%。少数民族人口约200万人。世居少数民族有壮、瑶、畲、回、满等民族。改革开放以后，因人才流动、婚姻、经商、务工等迁移或暂住广东的少数民族流动人口近150万人，主要集中在广州、深圳、佛山、东莞、中山等珠江三角洲各城市。全省共有县级范围(含县级)以上少数民族社会团体25个。根据我国《宪法》和有关法律规定，广东设立了连南瑶族自治县、连山壮族瑶族自治县、乳源瑶族自治县3个自治县和连州市瑶安瑶族乡和三水瑶族乡、龙门县蓝田瑶族乡、怀集下帅壮族瑶族乡、始兴县深渡水瑶族乡、阳山县秤架瑶族乡、东源县漳溪畲族乡等7个民族乡。

4 社会经济

2008年，全省生产总值35696.46亿元，比上年增长10.1%。其中，第一产业增加值1970.23亿元，增长3.7%；第二产业增加值18402.64亿元，增长11.4%；第三产业增加值15323.59亿元，增长9.1%。在第三产业中，交通运输、仓储和邮政业增长7.0%，批发和零售业增长11.2%，住宿和餐饮业增长11.8%，金融保险业增长11.0%，房地产业下降4.8%，其他服务业增长13.3%。现代服务业增加值占第三产业增加值的比重为54.1%。民营经济增加值15133.33亿元，增长9.5%。人均地区生产总值达37588元，增长8.7%。

2008年末，全社会从业人员5460万人，比上年末增长1.1%。全年城镇新增就业198.50万人，就业困难人员实现再就业10.8万人。年末城镇实有登记失业人员38.07万人，城镇登记失业率2.56%，比上年末上升0.05个百分点。

第二章 湿地类型

第一节 湿地类型与面积

1 湿地类型与湿地面积

广东省的湿地类型有5类21型(不包括水稻田，下同)，湿地总面积为175.34万公顷。各湿地类型的湿地面积分别为：近海与海岸湿地面积815098.49公顷，占总面积的46.49%；河流湿地面积337880.69公顷，占总面积的19.27%；湖泊湿地面积1534.84公顷，占总面积的0.09%；沼泽湿地面积3621.49公顷，占总面积的0.20%；人工湿地面积595308.59公顷，占总面积的33.95%(图2-1、表2-1)。

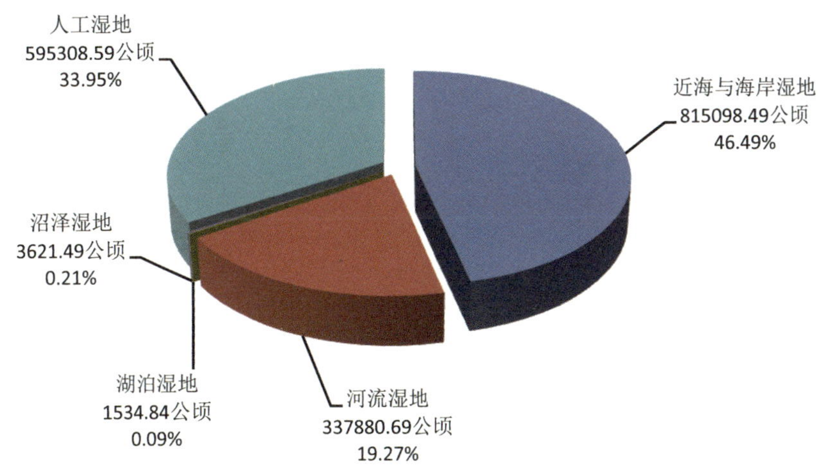

图2-1 广东省各湿地类面积与比例构成

广东湿地分布如图2 2。

广东省重要湿地分布如图2-3。

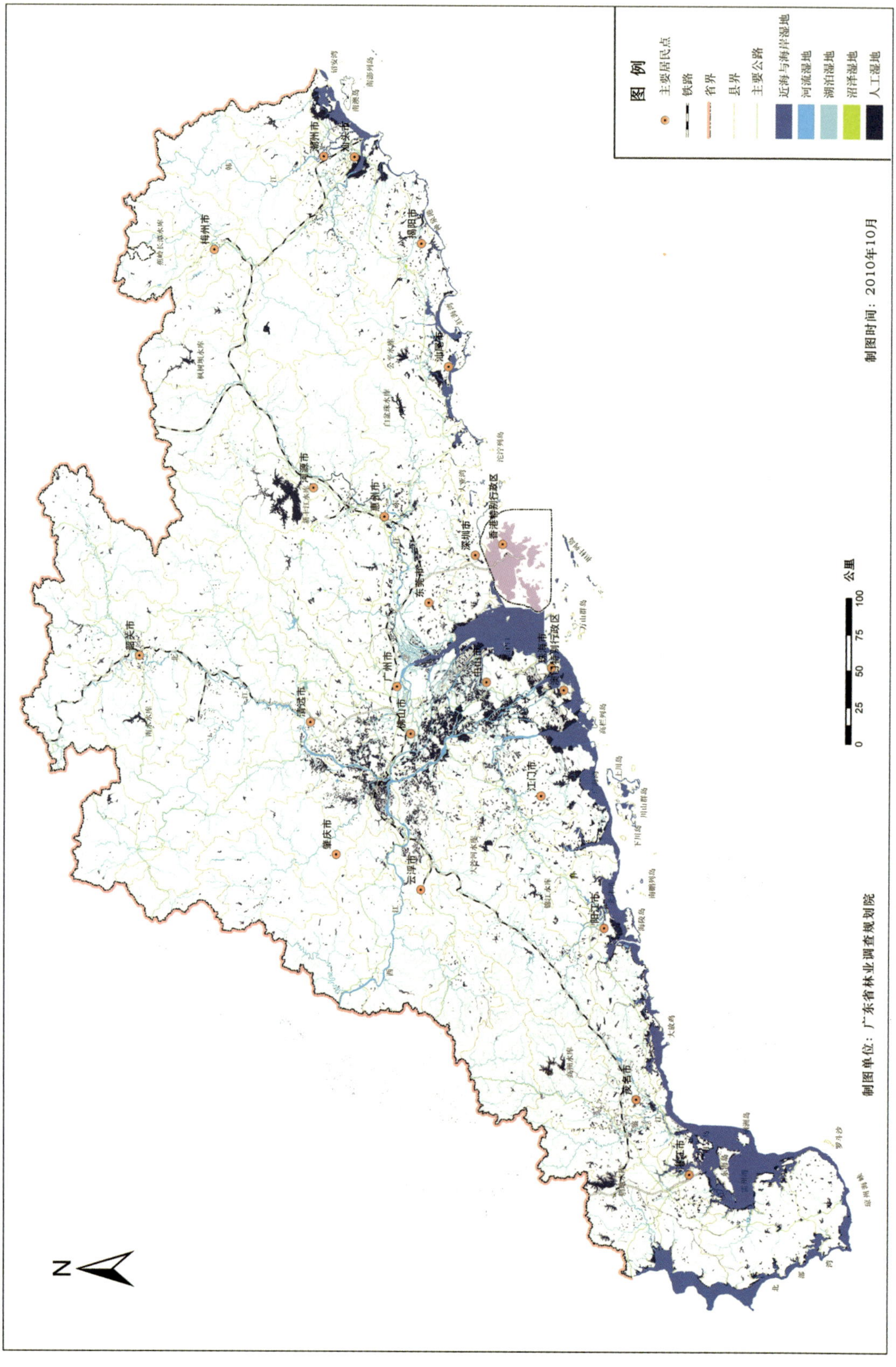
图例
主要居民点
铁路
省界
县界
主要公路
近海与海岸湿地
河流湿地
湖泊湿地
沼泽湿地
人工湿地
制图时间：2010年10月
制图单位：广东省林业调查规划院
0 25 50 75 100 公里
潮州市
汕头市
揭阳市
梅州市
汕尾市
河源市
惠州市
深圳市
东莞市
香港特别行政区
广州市
中山市
珠海市
澳门特别行政区
韶关市
清远市
佛山市
江门市
肇庆市
云浮市
阳江市
茂名市
湛江市
N

图 2-2 广东省湿地分布

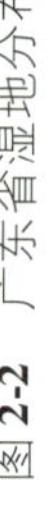

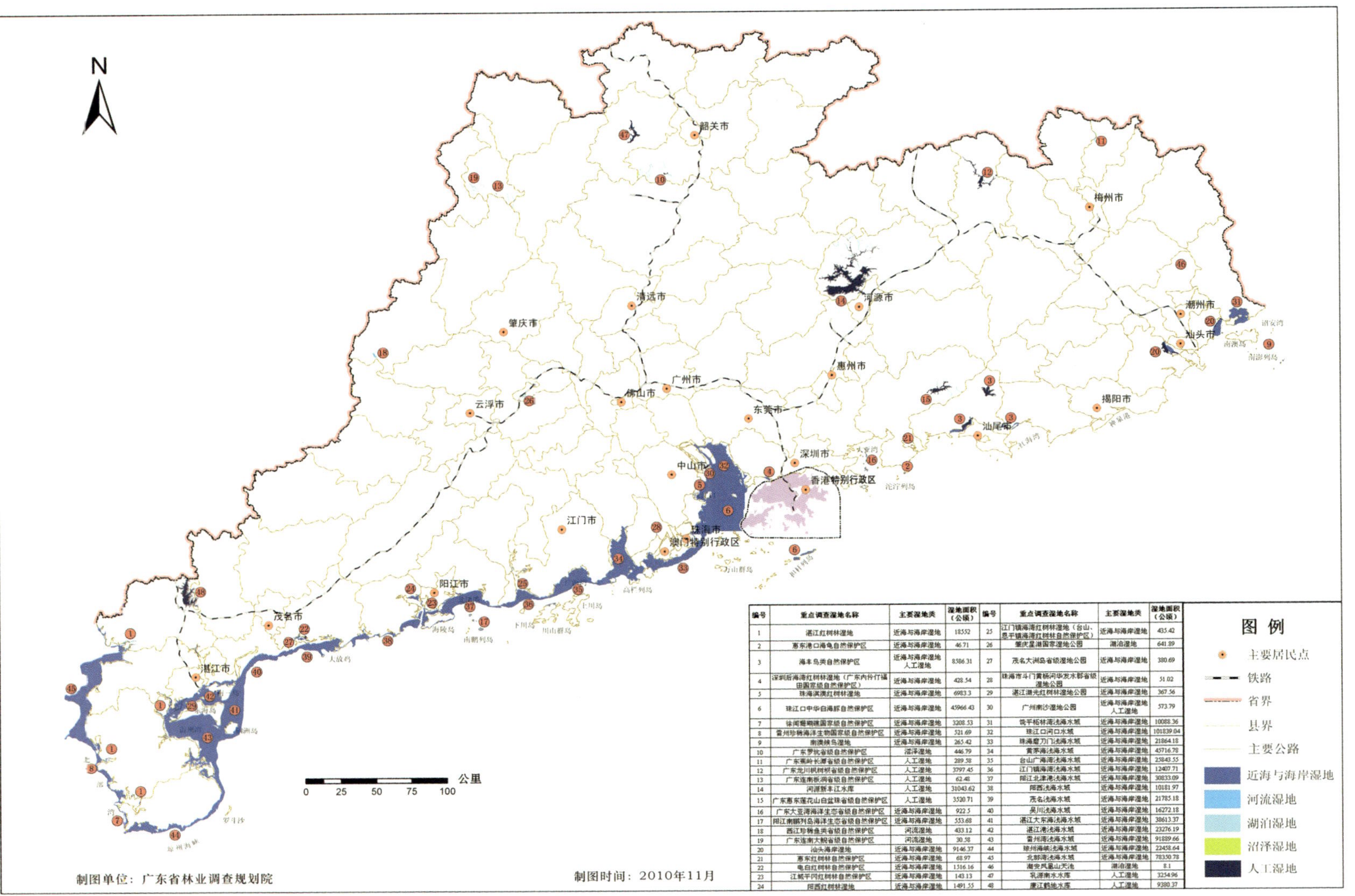

编号	重点调查湿地名称	主要湿地类	湿地面积（公顷）	编号	重点调查湿地名称	主要湿地类	湿地面积（公顷）
1	湛江红树林湿地	近海与海岸湿地	18552	25	江门镇海湾红树林湿地（台山、恩平镇海湾红树林自然保护区）	近海与海岸湿地	435.42
2	惠东港口海龟自然保护区	近海与海岸湿地	46.71	26	肇庆星湖国家湿地公园	湖泊湿地	641.89
3	海丰鸟类自然保护区	近海与海岸湿地 人工湿地	8586.31	27	茂名大洲岛省级湿地公园	近海与海岸湿地	380.69
4	深圳后海湾红树林湿地（广东内伶仃福田国家级自然保护区）	近海与海岸湿地	428.54	28	珠海市斗门黄杨河华发水郡省级湿地公园	近海与海岸湿地	51.02
5	珠海淇澳红树林湿地	近海与海岸湿地	6983.3	29	湛江湖光红树林湿地公园	近海与海岸湿地	367.56
6	珠江口中华白海豚自然保护区	近海与海岸湿地	45966.43	30	广州南沙湿地公园	近海与海岸湿地 人工湿地	573.79
7	徐闻珊瑚礁国家级自然保护区	近海与海岸湿地	3208.53	31	饶平柘林湾浅海水域	近海与海岸湿地	10088.36
8	雷州珍稀海洋生物国家级自然保护区	近海与海岸湿地	521.69	32	珠江口河口水域	近海与海岸湿地	101839.04
9	南澳候鸟湿地	近海与海岸湿地	265.42	33	珠海磨刀门浅海水域	近海与海岸湿地	21864.18
10	广东罗坑省级自然保护区	沼泽湿地	446.79	34	黄茅海浅海水域	近海与海岸湿地	45716.78
11	广东蕉岭长潭省级自然保护区	人工湿地	289.58	35	台山广海湾浅海水域	近海与海岸湿地	25843.55
12	广东龙川枫树坝省级自然保护区	人工湿地	3797.45	36	江门镇海湾浅海水域	近海与海岸湿地	12407.71
13	广东连南板洞省级自然保护区	人工湿地	62.48	37	阳江北津港浅海水域	近海与海岸湿地	30833.09
14	河源新丰江水库	人工湿地	31043.62	38	阳西浅海水域	近海与海岸湿地	10181.97
15	广东惠东莲花山白盆珠省级自然保护区	人工湿地	3520.71	39	茂名浅海水域	近海与海岸湿地	21785.18
16	广东大亚湾海洋生态省级自然保护区	近海与海岸湿地	922.5	40	吴川浅海水域	近海与海岸湿地	16272.18
17	阳江南鹏列岛海洋生态省级自然保护区	近海与海岸湿地	553.68	41	湛江大东海浅海水域	近海与海岸湿地	38613.37
18	西江珍稀鱼类省级自然保护区	河流湿地	433.12	42	湛江港浅海水域	近海与海岸湿地	23276.19
19	广东连南大鲵省级自然保护区	河流湿地	30.58	43	雷州湾浅海水域	近海与海岸湿地	91889.66
20	汕头海岸湿地	近海与海岸湿地	9146.37	44	琼州海峡浅海水域	近海与海岸湿地	22458.64
21	惠东红树林自然保护区	近海与海岸湿地	68.97	45	北部湾浅海水域	近海与海岸湿地	78350.78
22	电白红树林自然保护区	近海与海岸湿地	1516.16	46	潮安凤凰山天池	湖泊湿地	8.1
23	江城平冈红树林自然保护区	近海与海岸湿地	143.13	47	乳源南水水库	人工湿地	3254.96
24	阳西红树林湿地	近海与海岸湿地	1491.55	48	廉江鹤地水库	人工湿地	9380.37

图 2-3　广东省重要湿地分布

表 2-1 广东省湿地类型面积统计表

湿地类	湿地型	湿地型面积(公顷)	湿地型比例(%)	湿地类面积(公顷)	湿地类比例(%)
近海与海岸湿地	浅海水域	518368.52	29.56	815098.49	46.49
	潮下水生层	112.74	0.01		
	珊瑚礁	230.71	0.01		
	岩石海岸	2046.20	0.12		
	沙石海滩	19459.85	1.11		
	淤泥质海滩	32848.32	1.87		
	潮间盐水沼泽	802.29	0.05		
	红树林	19751.23	1.13		
	河口水域	193200.00	11.02		
	三角洲/沙洲/沙岛	10019.16	0.57		
	海岸性咸水湖	18259.47	1.04		
河流湿地	永久性河流	320632.08	18.29	337880.69	19.27
	洪泛平原湿地	17248.61	0.98		
湖泊湿地	永久性淡水湖	1534.81	0.09	1534.81	0.09
沼泽湿地	草本沼泽	3317.35	0.19	3621.49	0.20
	灌丛沼泽	206.29	0.01		
	森林沼泽	97.85	0		
人工湿地	库 塘	219062.01	12.49	595308.59	33.95
	运河/输水河	9387.79	0.54		
	水产养殖场	364549.92	20.79		
	盐 田	2308.87	0.13		
合 计		1753444.07	100	1753444.07	100

2 各湿地区的湿地类及面积

根据《全国湿地资源调查技术规程(试行)》要求，全省划为 148 个湿地区，其中单独区划湿地区 48 个，零星湿地区 100 个(表 2-2)。

表 2-2 广东省各湿地区湿地概况(公顷)

序号	湿地区	近海与海岸湿地	河流湿地	湖泊湿地	沼泽湿地	人工湿地	合 计
1	北部湾浅海水域湿地区	78350.78					78350.78
2	博罗县零星湿地区		5306.46		552.43	9962.37	15821.26
3	潮安凤凰山天池湿地区			8.10			8.10

（续）

序号	湿地区	近海与海岸湿地	河流湿地	湖泊湿地	沼泽湿地	人工湿地	合　计
4	潮安县零星湿地区	1827.52	2220.01			2619.60	6667.13
5	潮阳市零星湿地区	2717.50	2769.72			8921.45	14408.67
6	澄海市零星湿地区	8892.81	328.18			4565.59	13786.58
7	从化市零星湿地区		2676.25			2765.82	5442.07
8	大埔县零星湿地区		5329.72		73.70	162.71	5566.13
9	德庆县零星湿地区		5220.00			872.32	6092.32
10	电白红树林湿地区	1070.53				472.22	1542.75
11	电白县零星湿地区	3672.86	4026.13			10060.45	17759.44
12	东海岛零星湿地区	3752.93	81.81			4553.99	8388.73
13	东莞市零星湿地区	3852.22	12139.00			11573.32	27564.54
14	东源县零星湿地区		4415.44			844.76	5260.20
15	斗门区零星湿地区	10895.14	3982.34		15.83	25012.19	39905.50
16	恩平市零星湿地区		3363.45			6268.05	9631.50
17	丰顺县零星湿地区		3795.85			430.70	4226.55
18	封开县零星湿地区		7223.93			1233.46	8457.39
19	佛冈县零星湿地区		1516.35			455.25	1971.60
20	佛山市零星湿地区		271.50				271.50
21	高明区零星湿地区		1989.05			7015.02	9004.07
22	高要市零星湿地区		6078.42			11159.45	17237.87
23	高州市零星湿地区		4050.41		584.53	7654.63	12289.57
24	广宁县零星湿地区		3517.01			308.17	3825.18
25	广州南沙湿地公园湿地区	233.17				439.70	672.87
26	广州市区零星湿地区	8523.61	16245.45			14824.62	39593.68
27	海丰鸟类自然保护区湿地区	3027.38	87.03			5557.38	8671.79
28	海丰县零星湿地区	7854.02	2433.05			6213.61	16500.68
29	和平县零星湿地区		2729.65			482.14	3211.79
30	河源新丰江水库湿地区		95.13			30967.75	31062.88

（续）

序号	湿地区	近海与海岸湿地	河流湿地	湖泊湿地	沼泽湿地	人工湿地	合 计
31	鹤山市零星湿地区		1464.43			3310.41	4774.84
32	花都区零星湿地区		1314.48			6187.77	7502.25
33	华发水郡省级湿地公园湿地区	51.08					51.08
34	化州市零星湿地区		3925.65		8.80	4084.10	8018.55
35	怀集县零星湿地区		4416.53			1936.01	6352.54
36	黄茅海浅海水域湿地区	45720.24					45720.24
37	惠城区零星湿地区		6082.05	640.84	318.86	10021.94	17063.69
38	惠东白盆珠水库湿地区		27.98		57.36	3436.92	3522.26
39	惠东港口海龟自然保护区湿地区	46.71					46.71
40	惠东红树林湿地区	330.21					330.21
41	惠东县零星湿地区	4562.85	3437.78			3465.99	11466.62
42	惠来县零星湿地区	3754.23	1651.32		250.28	8331.58	13987.41
43	惠阳区零星湿地区		1250.20			3206.55	4456.75
44	惠州大亚湾湿地区	1029.73					1029.73
45	江城平岗红树林湿地区	232.98					232.98
46	江城区零星湿地区	4392.53	2035.39			9721.27	16149.19
47	江门市区零星湿地区		3337.98			7950.05	11288.03
48	江门镇海湾红树林湿地区	1420.51					1420.51
49	江门镇海湾浅海水域湿地区	12410.45					12410.45
50	蕉岭长潭水库湿地区		298.56				298.56
51	蕉岭县零星湿地区		1171.16			422.71	1593.87
52	揭东县零星湿地区	69.59	2435.19			3604.22	6109.00
53	揭西县零星湿地区		2320.11		11.13	1420.10	3751.34
54	揭阳市区零星湿地区		1740.98			177.59	1918.57
55	开平市零星湿地区		4110.08		9.81	7540.32	11660.21
56	乐昌市零星湿地区		3544.37			506.76	4051.13
57	雷州白碟贝浅海水域	521.69					521.69
58	雷州市零星湿地区	9955.42	3047.18		32.37	17359.84	30394.81
59	雷州湾浅海水域湿地区	91891.92					91891.92

（续）

序号	湿地区	近海与海岸湿地	河流湿地	湖泊湿地	沼泽湿地	人工湿地	合 计
60	连南板洞水库湿地区		32.38			33.44	65.82
61	连南排肚河（大鲵）湿地区		32.33				32.33
62	连南县零星湿地区		1078.27			11.79	1090.06
63	连平县零星湿地区		2104.73			362.22	2466.95
64	连山县零星湿地区		1115.23			123.43	1238.66
65	连州市零星湿地区		2920.08			1751.98	4672.06
66	廉江鹤地水库湿地区					9422.75	9422.75
67	廉江市零星湿地区	6743.02	3758.75		129.79	7799.25	18430.81
68	龙川枫树坝水库湿地区					3803.67	3803.67
69	龙川县零星湿地区		2758.25			545.04	3303.29
70	龙门县零星湿地区		2933.18		804.69	2850.24	6588.11
71	陆丰县零星湿地区	11893.54	2643.73			7270.63	21807.90
72	陆河县零星湿地区		1167.18			571.59	1738.77
73	罗定县零星湿地区		2474.30			1808.32	4282.62
74	茂名大洲岛省级湿地公园湿地区	340.87				39.82	380.69
75	茂名浅海水域湿地区	21785.18					21785.18
76	茂名市区零星湿地区		942.95			1388.41	2331.36
77	梅江区零星湿地区		645.63			198.34	843.97
78	梅县零星湿地区		4271.24			750.08	5021.32
79	南澳候鸟湿地区	265.42					265.42
80	南澳县零星湿地区	818.74				352.88	1171.62
81	南海区零星湿地区		7987.73		92.02	16963.60	25043.35
82	南雄市零星湿地区		2182.91			1721.77	3904.68
83	平远县零星湿地区		1003.62			712.76	1716.38
84	普宁市零星湿地区		1888.59	67.79		1836.91	3793.29
85	清城区零星湿地区		4768.50			3454.19	8222.69
86	清新县零星湿地区		5544.50			4737.62	10282.12
87	琼州海峡浅海水域湿地区	22458.64					22458.64
88	曲江罗坑沼泽湿地区		94.57		140.62	217.30	452.49
89	曲江县零星湿地区		5426.86			2368.21	7795.07
90	饶平拓林湾浅海水域湿地区	10257.90					10257.90

（续）

序号	湿地区	近海与海岸湿地	河流湿地	湖泊湿地	沼泽湿地	人工湿地	合　计
91	饶平县零星湿地区	7846.84	1318.03			12671.83	21836.70
92	仁化县零星湿地区		1679.38			1856.78	3536.16
93	乳源南水水库湿地区					3254.96	3254.96
94	乳源县零星湿地区		2399.04			638.55	3037.59
95	三水区零星湿地区		5719.98			15950.67	21670.65
96	汕头海岸湿地区	6840.11				2805.93	9646.04
97	汕头市辖区零星湿地区	7429.95	581.19			5405.52	13416.66
98	汕尾市区零星湿地区	12044.74	70.17			4888.04	17002.95
99	韶关市辖区零星湿地区		1215.23			1072.01	2287.24
100	深圳后海湾红树林湿地区	474.94					474.94
101	深圳市零星湿地区	5799.45	1124.67		8.32	8616.01	15548.45
102	始兴县零星湿地区		2604.97			419.79	3024.76
103	顺德区零星湿地区		7081.66		37.51	26524.77	33643.94
104	四会市零星湿地区		3892.50			12013.37	15905.87
105	遂溪县零星湿地区	989.58	1987.95			5319.03	8296.56
106	台山广海湾浅海水域湿地区	25910.09					25910.09
107	台山市零星湿地区	16231.00	3078.86			27323.68	46633.54
108	翁源县零星湿地区		2185.98			950.80	3136.78
109	吴川浅海水域湿地区	16272.18					16272.18
110	吴川县零星湿地区	1352.98	3735.65		8.25	4466.79	9563.67
111	五华县零星湿地区		3600.65			1951.71	5552.36
112	西江珍稀鱼类省级自然保护区		433.12				433.12
113	湘桥区零星湿地区		1143.25			548.91	1692.16
114	新丰县零星湿地区		1844.97			212.70	2057.67
115	新会区零星湿地区		10806.39			15773.95	26580.34
116	新兴县零星湿地区		1709.71			999.85	2709.56
117	信宜市零星湿地区		3664.06			359.35	4023.41
118	兴宁市零星湿地区		1880.43			1639.55	3519.98
119	徐闻珊瑚礁湿地区	3208.53					3208.53
120	徐闻县零星湿地区	8527.72	763.49			11270.24	20561.45

（续）

序号	湿地区	近海与海岸湿地	河流湿地	湖泊湿地	沼泽湿地	人工湿地	合　计
121	阳春县零星湿地区		6808.51		103.43	3903.98	10815.92
122	阳东县零星湿地区	916.17	4075.67		371.89	5336.82	10700.55
123	阳江北津港浅海水域湿地区	30979.14					30979.14
124	阳江南鹏列岛海洋生态省级自然保护区湿地区	553.68					553.68
125	阳山县零星湿地区		3877.83			634.45	4512.28
126	阳西红树林湿地区	1914.21				26.57	1940.78
127	阳西浅海水域湿地区	10181.97					10181.97
128	阳西县零星湿地区	4222.36	2763.50			7291.64	14277.50
129	英德市零星湿地区		13536.07			4900.30	18436.37
130	郁南县零星湿地区		4760.59			803.86	5564.45
131	源城区零星湿地区		1191.74			218.92	1410.66
132	云安县零星湿地区		1796.65			327.23	2123.88
133	云城区零星湿地区		1502.33			453.64	1955.97
134	增城市零星湿地区		4112.00		9.87	3133.47	7255.34
135	湛江大东海浅海水域湿地区	38613.37					38613.37
136	湛江港浅海水域湿地区	22910.69					22910.69
137	湛江红树林湿地区	16922.32	621.52			2738.40	20282.24
138	湛江湖光红树林湿地公园湿地区	367.56					367.56
139	湛江市辖区零星湿地区	6852.15	2063.65	176.19		14113.44	23205.43
140	肇庆市区零星湿地区		4952.64			7153.80	12106.44
141	肇庆星湖湿地区			641.89			641.89
142	中山市零星湿地区	2587.31	9244.26			32335.04	44166.61
143	珠海磨刀门浅海水域湿地区	22121.64					22121.64
144	珠海淇澳红树林湿地区	7005.59					7005.59
145	珠海市区零星湿地区	9779.97	691.52			5054.39	15525.88
146	珠江口河口水域湿地区	102040.16					102040.16
147	珠江口中华白海豚自然保护区湿地区	38578.17					38578.17
148	紫金县零星湿地区		4082.61			770.76	4853.37
总　计		815098.49	337880.69	1534.81	3621.49	595308.59	1753444.07

从表 2-2 中可以看出，在单独湿地区中，湿地面积最大的是珠江口河口水域湿地区，其次为雷州湾浅海水域，第三为北部湾浅海水域。近海与海岸湿地大部分分布在珠江出海口的西面。河流湿地最大的是广州零星湿地区，其次是英德零星湿地区，第三是东莞零星湿地区。河流湿地主要分布在珠江三角洲和北江流域、东江流域。人工湿地最大的是中山零星湿地区，其次是河源零星湿地区，第三为台山零星湿地区。人工湿地主要类型为人工养殖场和库塘，主要分布在珠江三角洲平原地区。

3 各流域的湿地类及面积

根据水利部全国一、二、三级流域分类规定，本次湿地资源调查广东省的湿地有 2 个一级流域，7 个二级流域和 13 个三级流域。为了便于对广东省近海与海岸湿地的分类管理，在水利部颁布的流域标准上对一级流域、二级流域和三级流域各追加了一个其他类别，即滨海湿地。一级流域为珠江区、长江区和滨海湿地。长江区在广东省仅 92. 94 公顷；珠江区流域湿地总面积为 82. 89 万公顷；滨海湿地 92. 45 万公顷。二级流域即西江、北江、东江、珠江三角洲、韩江及粤东诸河、粤西诸河、滨海湿地、洞庭湖水系等。各流域的湿地类及面积见表 2-3 和图 2-4。

表 2-3 广东省各流域湿地类面积汇总(公顷)

一级流域	二级流域	三级流域	湿地类					合 计
			近海与海岸湿地	河流湿地	湖泊湿地	沼泽湿地	人工湿地	
珠江区	西江区	桂贺江		751. 26			116. 50	867. 76
		黔浔江及西江(梧州以下)		37710. 40	641. 89		20940. 80	59293. 10
		小 计		38461. 70	641. 89		21057. 30	60160. 86
	北江区	北江大坑口以上		18809. 50		140. 62	11935. 00	30885. 16
		北江大坑口以下		50883. 50			33604. 70	84488. 17
		小 计		69693. 00		140. 62	45539. 70	115373. 33
	东江区	东江秋香江口以上		21755. 30		485. 60	42962. 10	65202. 92
		东江秋香江口以下		12463. 50	640. 84	349. 57	22584. 60	36038. 51
		小 计		34218. 80	640. 84	835. 17	65546. 70	101241. 43
	珠 江 三角洲	东江三角洲	10733. 48	22324. 50		908. 04	24594. 10	58560. 12
		西北江三角洲	1141. 23	75735. 20		155. 17	161649. 00	238680. 38
		小 计	11874. 71	98059. 70		1063. 21	186243. 00	297240. 50
	韩江及粤东诸河	韩江白莲以上		22183. 10		73. 70	6097. 24	28353. 99
		韩江白莲以下及粤东诸河	27243. 58	26282. 80	75. 89	261. 41	38215. 40	92079. 07
		小 计	27243. 58	48465. 80	75. 89	335. 11	44312. 60	120433. 06

（续）

一级流域	二级流域	三级流域	湿地类					合 计
			近海与海岸湿地	河流湿地	湖泊湿地	沼泽湿地	人工湿地	
珠江区	粤西桂南沿海诸河	桂南诸河		132.76			233.38	366.14
		粤西诸河	10757.74	48765.90	176.19	1239.06	73145.80	134084.66
		小 计	10757.74	48898.60	176.19	1239.06	73379.20	134450.80
	合 计		49876.03	337798.00	1534.81	3613.17	436078.00	828899.98
长江区	洞庭水系	湘江衡阳以上		83.13			9.81	92.94
滨海湿地	滨海湿地	滨海湿地	765222.46			8.32	159220.00	924451.15
总 计			815098.49	337880.69	1534.81	3621.49	595308.59	1753444.07

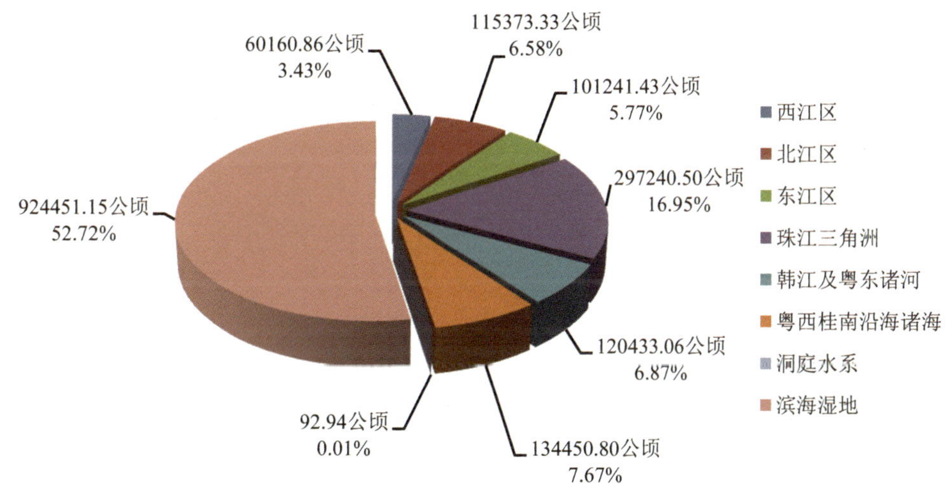

图 **2-4** 广东省二级流域湿地面积与比例构成

4 各行政区的湿地类及面积

广东省共有 21 个地级市，将行政区按湿地面积由大到小排列可见，湿地面积最大的是湛江市，面积 42.20 万公顷(表 2-4)。其中，近海与海岸湿地面积 32.97 万公顷，占同类湿地的 40.45%。湛江市雷州半岛沿海均分布有浅海滩涂，生长着全国面积最大的红树林。其次是珠海市，湿地面积为 18.38 万公顷。其中，近海与海岸湿地面积 14.90 万公顷，占同类湿地的 18.28%。珠海市位于珠江出海口的西面。其中，珠江口的八大出海口中珠海占 4 个，每个出海口均分布有大量的浅滩，形成了丰富的滨海湿地。珠海淇澳自然保护区内分布着珠江口面积最大、种类最多的红树林。江门市湿地面积为 17.35 万公顷，是著名的珠江三角洲平原；市域范围内河网众多，沿海的广海湾、镇海湾为大面积浅海，其中，镇海湾保留着大面积的乡土红树林，是良好的鸟类栖息地(图 2-5)。

表 2-4 广东省各湿地类按行政区域分类排序汇总(公顷)

序号	地级市	湿地类					合 计
		近海与海岸湿地	河流湿地	湖泊湿地	沼泽湿地	人工湿地	
1	湛江市	329691.48	16060.00	176.19	170.41	75911.44	422009.52
2	珠海市	149026.42	4673.86		15.83	30066.58	183782.69
3	江门市	79124.72	26161.19		9.81	68166.46	173462.18
4	阳江市	53393.04	15683.07		475.32	26280.28	95831.71
5	佛山市		23049.92		129.53	66454.06	89633.51
6	广州市	24800.93	24348.18		9.87	27351.38	76510.36
7	肇庆市		35742.71	641.89		34676.58	71061.18
8	茂名市	26869.44	16609.20		593.33	25191.27	69263.24
9	汕尾市	34819.68	6401.16			24501.25	65722.09
10	惠州市	5969.50	19037.65	640.84	1733.34	32944.01	60325.34
11	中山市	16153.11	9244.26			32335.04	57732.41
12	河源市		17377.55			37995.26	55372.81
13	清远市		34412.98			16102.45	50515.43
14	汕头市	23494.04	3679.09			22051.37	49224.50
15	深圳市	37992.72	1124.67		8.32	8616.01	47741.72
16	潮州市	23252.35	4681.29	8.10		15840.34	43782.08
17	韶关市		23178.28		140.62	13219.63	36538.53
18	东莞市	6536.84	12139.00			11573.32	30249.16
19	揭阳市	3974.22	10036.19	67.79	261.41	15370.40	29710.01
20	梅州市		21996.86		73.70	6268.56	28339.12
21	云浮市		12243.58			4392.90	16636.48
总 计		815098.49	337880.69	1534.81	3621.49	595308.59	1753444.07

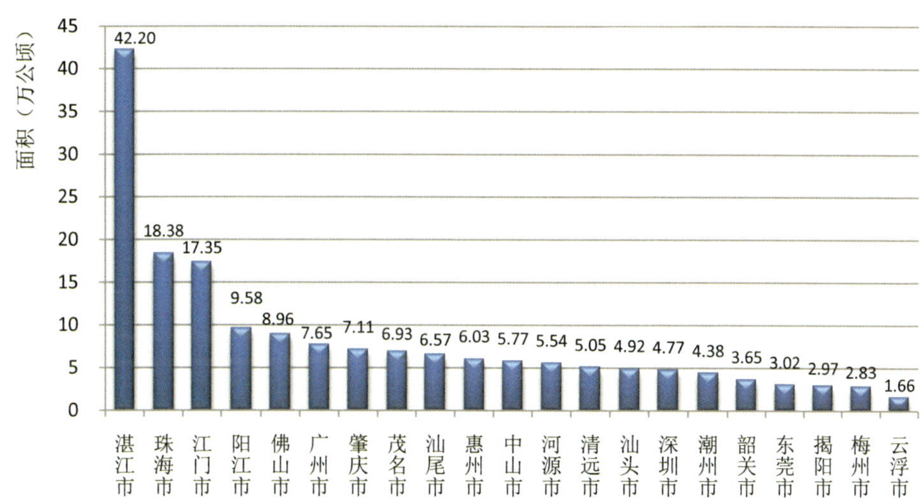

图 **2-5**　广东省各市湿地面积排序柱状图

第二节
湿地分布

1　近海与海岸湿地分布

1.1　近海与海岸湿地各湿地型及面积

近海与海岸湿地是指在近海与海岸地区由天然的滨海地貌形成的浅海、海岸、河口以及海岸性湖泊湿地，包括低潮时水深不超过 6 米的浅海区与高潮位(含高潮线)海水能直接浸润到的区域。广东省南临南海，海岸线 4114. 3 公里，近海与海岸湿地总面积为 81. 51 万公顷，占全省湿地面积的 46. 49%。有浅海水域、潮下水生层、珊瑚礁、岩石海岸、沙石海滩、淤泥质海滩、潮间盐水沼泽、红树林、河口水域、三角洲/沙洲/沙岛和海岸性咸水湖等 11 个湿地型，分布在广东沿海各个地区(表 2-5)。

表 2-5　近海与海岸湿地各湿地型面积汇总

序号	湿地型	面积(公顷)	比例(%)
1	浅海水域	518368. 52	63. 60
2	潮下水生层	112. 74	0. 01
3	珊瑚礁	230. 71	0. 03
4	岩石海岸	2046. 20	0. 25
5	沙石海滩	19459. 85	2. 39

（续）

序号	湿地型	面积	比例
6	淤泥质海滩	32848.32	4.03
7	潮间盐水沼泽	802.29	0.10
8	红树林	19751.23	2.42
9	河口水域	193200.00	23.70
10	三角洲/沙洲/沙岛	10019.16	1.23
11	海岸性咸水湖	18259.47	2.24
合　计		815098.49	100

(1)浅海水域：浅海水域为低潮时水深不超过6米的海域，以及位于湿地内的岛屿或低潮时水深超过6米的海洋水体，特别是具有水禽生境意义的岛屿或水体。广东省的浅海水域是近海与海岸湿地中面积最大的湿地型，面积为51.84万公顷，占近海与海岸湿地面积的63.60%。主要分布在珠江出海口的西面、珠江三角洲和粤西地区。在深圳市，珠海市，阳江市的江城区、阳西、阳东，江门市的台山、恩平，茂名市的电白，湛江市的市区、吴川、徐闻、雷州、遂溪，汕头市的潮阳、澄海、南澳，揭阳市的惠来，汕尾市的海丰，惠州市的惠东、惠阳，潮州市的饶平等地均有分布(图2-6)。

(2)潮下水生层：潮下水生层是广东近海与海岸湿地中面积最小的湿地型，面积为112.74公顷。主要分布在惠州市惠阳区大亚湾的赤洲岛、大辣甲岛、小辣甲岛和三门岛。

(3)珊瑚礁：珊瑚礁是基质由珊瑚聚集而成的浅海湿地，面积为230.71公顷。主要分布在湛江市的东海岛和惠州市的惠阳区。

(4)岩石海岸：岩石海岸是低潮线(不含)以上与高潮线以下(含高潮线)之间的基质75%以上为岩石的海岸区，包括岩石性沿海岛屿和海岩峭壁。岩石海岸在全省沿海各地均有分布，但数量较少，面积为2046.20公顷。主要分布在南澳、汕尾、深圳、台山、阳东等县市(图2-7)。

图**2-6**　浅海水域(惠东巽察湾)

图**2-7**　岩石海岸(深圳大梅沙)

(5)沙石海滩：沙石海滩主要分布在粤西地区的雷州市和徐闻县，其余分布在潮州市、汕头市、揭阳市、汕尾市、深圳市、珠海市、阳江市、江门市、茂名市、湛江市等地。面积为1.95万公顷，占近海与海岸湿地面积的 2.39%。广东省著名的沙滩有湛江市东海岛的中国第一长滩，茂名市的水东港中国第一滩和放鸡岛沙滩，阳江市的海陵岛大角湾沙滩和阳西沙扒湾，江门市台山上下川岛沙滩，珠海市的荷苞岛沙滩，深圳市的大小梅沙沙滩和西冲沙滩，惠州市的大亚湾和巽寮湾沙滩，汕尾市的红海湾等(图 2-8)。

(6)淤泥质海滩：淤泥质海滩在全省各河流出海口均有分布。主要分布在潮州市、汕头市、揭阳市、汕尾市、惠州市、广州市、珠海市、阳江市、江门市、湛江市、茂名市等地。面积为 3.28 万公顷，占近海与海岸湿地的 4.03%。由于淤泥沉积，每年都有部分淤泥海滩面积扩大，为红树林的保护和发展拓展了空间(图 2-9)。

图 **2-8**　沙石海滩(电白)

图 **2-9**　淤泥质海滩(海丰)

(7)潮间盐水沼泽：潮间盐水沼泽是指潮间地带形成的植被盖度≥30%的潮间沼泽，包括盐碱沼泽、盐水草地和海滩盐沼，面积为 802.29 公顷。主要分布于饶平、海丰、澄海、陆丰和台山等地。

(8)红树林：广东是全国红树林分布最广、面积最大的省份，面积为 1.98 万公顷，占近海与海岸湿地面积的 2.42%。红树林在广东省沿海均有分布。主要分布在湛江市的雷州半岛东西两侧和特呈岛周围，茂名市的电白县沿海，阳江市的阳西县沿海，江门市的镇海湾，珠海市的淇澳岛，广州市的南沙区十九涌，深圳市的后海湾，惠州市的盐洲湾，汕尾市的海丰县沿海区域，汕头市的汕头湾等地(图 2-10)。

(9)河口水域：河口水域是广东近海与海岸湿地中面积第二大的湿地型，面积为 19.32 万公顷，占近海与海岸湿地的 23.70%。主要分布在珠江三角洲的珠江出海口，韩江三角洲的韩江出海口，以及鉴江、漠阳江出海口等地(图 2-11)。

图 **2-10**　红树林(恩平)

图 **2-11**　河口水域(中山神湾)

(10)三角洲/沙洲/沙岛：广东省的三角洲/沙洲/沙岛面积为1.00万公顷，占近海与海岸湿地面积的1.23%。主要分布在珠江三角洲西岸的珠海市珠江出海口内，其余分布在广州市、深圳市、东莞市、中山市、汕头市、惠州市、江门市、揭阳市、潮州市、阳江市、湛江市等地(图2-12)。

(11)海岸性咸水湖：广东省的海岸性咸水湖面积为1.83万公顷，占近海与海岸湿地面积的2.24%。主要分布在湛江市、茂名市、台山市、深圳市、汕尾市、惠州市、江门市。湛江市的流沙港(雷州、徐闻)，茂名市的水东港、博贺港，阳江市的濠光咸水湖，台山市的大门颈海岸性咸水湖，汕尾市的品清湖，惠州市的盐洲咸水湖、海平港等咸水湖较为典型。

图**2-12** 沙洲(阳江江城)

1.2 各湿地区近海与海岸湿地分布面积

广东省各湿地区近海与海岸湿地各湿地型的分布及面积见表2-6。

1.3 各行政区的近海与海岸湿地型及面积

在21个地级市中，有14个市分布有近海与海岸湿地。其中，湿地面积最大的是湛江市，面积为32.97万公顷，占近海与海岸湿地面积的40.45%；其次是珠海市，面积为14.90万公顷，占近海与海岸湿地面积的18.28%；第三是江门市，面积为7.91万公顷，占近海与海岸湿地面积的9.71%(表2-7、图2-13)。

表 2-6 广东省各湿地区近海与海岸湿地各湿地型分布及面积汇总(公顷)

湿地区	浅海水域	潮下水生层	珊瑚礁	岩石海岸	沙石海滩	淤泥质海滩	潮间盐水沼泽	红树林	河口水域	沙洲/沙岛	海岸性咸水湖	合　计
北部湾浅海水域湿地区	78350. 78											78350. 78
潮安县零星湿地区									1660. 60	166. 92		1827. 52
潮阳市零星湿地区	1537. 16				68. 38	111. 38			1000. 58			2717. 5
澄海市零星湿地区	5454. 67				351. 8	122. 34	24. 40		2797. 81	141. 79		8892. 81
电白红树林湿地区	15. 25					93. 49		218. 57	64. 29		678. 93	1070. 53
电白县零星湿地区					861. 19	324. 85			222. 13		2264. 69	3672. 86
东海岛零星湿地区			149. 33		1513. 83	2089. 77						3752. 93
东莞市零星湿地区									3772. 20	80. 02		3852. 22
斗门区零星湿地区	273. 45					727. 19			5098. 26	4796. 24		10895. 14
广州南沙湿地公园湿地区								233. 17				233. 17
广州市区零星湿地区						321. 73	19. 39		8085. 05	97. 44		8523. 61
海丰鸟类自然保护区湿地区	19. 99					1360. 58	151. 03	61. 08	1434. 70			3027. 38
海丰县零星湿地区	6688. 42				154. 04	504. 91			506. 65			7854. 02
华发水郡省级湿地公园湿地区							16. 52		34. 56			51. 08
黄茅海浅海水域湿地区	45720. 24											45720. 24
惠东港口海龟自然保护区湿地区	37. 43				9. 28							46. 71
惠东红树林湿地区								330. 21				330. 21
惠东县零星湿地区	1244. 79				191. 69	120. 76				93. 55	2912. 06	4562. 85
惠来县零星湿地区	2364. 24				206. 59	288. 07			844. 85	50. 48		3754. 23
惠州大亚湾湿地区	742. 61	112. 74	81. 38					93. 00				1029. 73
江城平岗红树林湿地区								232. 98				232. 98
江城区零星湿地区					842. 04	2753. 08			354. 48	442. 93		4392. 53
江门镇海湾红树林湿地区								1420. 51				1420. 51

（续）

湿地区	浅海水域	潮下水生层	珊瑚礁	岩石海岸	沙石海滩	淤泥质海滩	潮间盐水沼泽	红树林	河口水域	沙洲/沙岛	海岸性咸水湖	合　计
江门镇海湾浅海水域湿地区	9053.73					3356.72						12410.45
揭东县零星湿地区										69.59		69.59
雷州白碟贝浅海水域	521.69											521.69
雷州市零星湿地区					3453.75	3436.51			327.02	433.85	2304.29	9955.42
雷州湾浅海水域湿地区	91891.92											91891.92
廉江市零星湿地区	5989.84					636.79			64.16	52.23		6743.02
陆丰县零星湿地区	5684.11				271.93	569.80			1621.35	70.43	3675.92	11893.54
茂名大洲岛省级湿地公园湿地区						304.42		36.45				340.87
茂名浅海水域湿地区	21777.17										8.01	21785.18
南澳候鸟湿地区	34.00			231.42								265.42
南澳县零星湿地区	17.38			801.36								818.74
琼州海峡浅海水域湿地区	22458.64											22458.64
饶平拓林湾浅海水域湿地区	10235.82							22.08				10257.90
饶平县零星湿地区	5847.05					363.89	464.76		1171.14			7846.84
汕头海岸湿地区	3236.39				100.17	870.62	33.02	642.50	1807.01	150.40		6840.11
汕头市辖区零星湿地区	1455.10				13.76	559.07			4711.02	691.00		7429.95
汕尾市区零星湿地区	4686.15			25.11	65.07	4641.55					2626.86	12044.74
深圳后海湾红树林湿地区								176.28		76.46	222.20	474.94
深圳市零星湿地区	5531.68			42.27	51.27					174.23		5799.45
遂溪县零星湿地区					590.08				399.50			989.58
台山广海湾浅海水域湿地区	25844.88							65.21				25910.09
台山市零星湿地区	7292.35			770.33	1766.04	1678.88	93.17		3666.83	165.34	798.06	16231.00
吴川浅海水域湿地区	16272.18											16272.18

（续）

湿地区	浅海水域	潮下水生层	珊瑚礁	岩石海岸	沙石海滩	淤泥质海滩	潮间盐水沼泽	红树林	河口水域	沙洲/沙岛	海岸性咸水湖	合　计
吴川县零星湿地区					536. 09				777. 88	39. 01		1352. 98
徐闻珊瑚礁湿地区	3208. 53											3208. 53
徐闻县零星湿地区					3327. 77	2899. 68					2300. 27	8527. 72
阳东县零星湿地区				113. 68	364. 25				408. 71	29. 53		916. 17
阳江北津港浅海水域湿地区	30833. 13							146. 01				30979. 14
阳江南鹏列岛海洋生态省级自然保护区湿地区	428. 90			62. 03	62. 75							553. 68
阳西红树林湿地区						843. 47		690. 12	74. 98		305. 64	1914. 21
阳西浅海水域湿地区	10181. 97											10181. 97
阳西县零星湿地区	34. 82				2473. 45	1303. 89			247. 66		162. 54	4222. 36
湛江大东海浅海水域湿地区	38613. 37											38613. 37
湛江港浅海水域湿地区	22910. 69											22910. 69
湛江红树林湿地区	204. 56				738. 46	942. 09		14256. 42	412. 41	368. 38		16922. 32
湛江湖光红树林湿地公园湿地区	350. 12							17. 44				367. 56
湛江市辖区零星湿地区	10. 35				1271. 23	545. 99			5024. 58			6852. 15
中山市零星湿地区									2463. 38	123. 93		2587. 31
珠海磨刀门浅海水域湿地区	21867. 51							254. 13				22121. 64
珠海淇澳红树林湿地区	6243. 95							761. 64				7005. 59
珠海市区零星湿地区	3201. 51				174. 94	1076. 80			3621. 31	1705. 41		9779. 97
珠江口河口水域湿地区								93. 43	101947. 00			102040. 16
珠江口中华白海豚自然保护区湿地区									38578. 20			38578. 17
总计	518368. 52	112. 74	230. 71	2046. 20	19459. 85	32848. 32	802. 29	19751. 23	193200. 00	10019. 16	18259. 47	815098. 49

表 2-7 广东省近海与海岸湿地按行政区域统计(公顷)

地级市	浅海水域	潮下水生层	珊瑚礁	岩石海岸	沙石海滩	淤泥质海滩	潮间盐水沼泽	红树林	河口水域	沙洲/沙岛	海岸性咸水湖	合 计
湛江市	280782. 67		149. 33		11431. 21	10550. 83		14273. 86	7005. 55	893. 47	4604. 56	329691. 48
珠海市	54153. 99				174. 94	1803. 99	16. 52	1015. 77	85359. 56	6501. 65		149026. 42
江门市	65343. 63			770. 33	1766. 04	5035. 60	93. 17	1485. 72	3666. 83	165. 34	798. 06	79124. 72
阳江市	41478. 82			175. 71	3742. 49	4900. 44		1069. 11	1085. 83	472. 46	468. 18	53393. 04
深圳市	5531. 68			42. 27	51. 27			176. 28	31718. 33	250. 69	222. 20	37992. 72
汕尾市	17078. 67			25. 11	491. 04	7076. 84	151. 03	61. 08	3562. 70	70. 43	6302. 78	34819. 68
茂名市	21792. 42				861. 19	722. 76		255. 02	286. 42		2951. 63	26869. 44
广州市						321. 73	19. 39	233. 17	24129. 20	97. 44		24800. 93
汕头市	8498. 31			1032. 78	534. 11	1663. 41	57. 42	558. 80	10316. 42	832. 79		23494. 04
潮州市	19319. 26					363. 89	464. 76	105. 78	2831. 74	166. 92		23252. 35
中山市								93. 43	15935. 75	123. 93		16153. 11
东莞市									6456. 82	80. 02		6536. 84
惠州市	2024. 83	112. 74	81. 38		200. 97	120. 76		423. 21		93. 55	2912. 06	5969. 50
揭阳市	2364. 24				206. 59	288. 07			844. 85	270. 47		3974. 22
总 计	518368. 52	112. 74	230. 71	2046. 20	19459. 85	32848. 32	802. 29	19751. 23	193200. 00	10019. 16	18259. 47	815098. 49

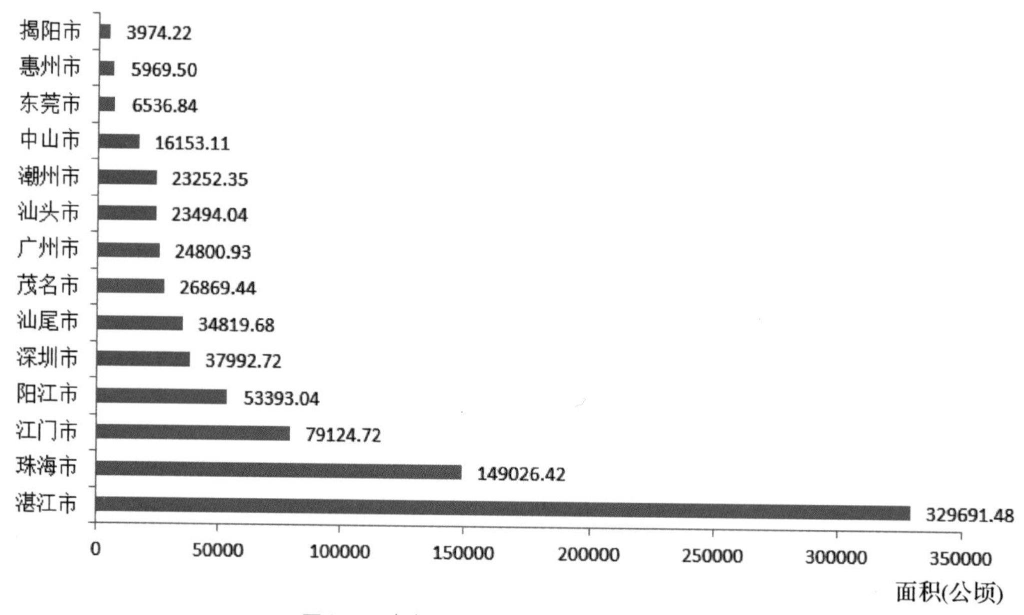

图 2-13 各行政区近海与海岸湿地面积示意

2　河流湿地分布

2.1　河流湿地的湿地型及面积

河流湿地是指河流多年平均最高水位所淹没的区域。广东省河流湿地面积为33.79万公顷，占全省湿地面积的19.27%。河流湿地的湿地型有永久性河流和泛洪平源湿地两种(图2-14)，集中分布在中南部的丘陵、台地及三角洲平原地区。

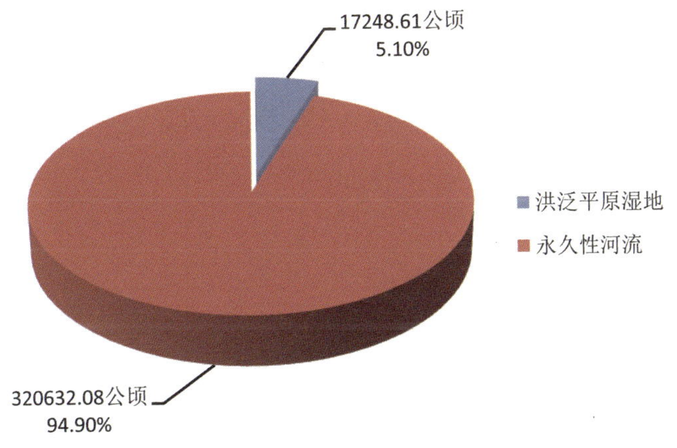

图**2-14**　广东省河流湿地各湿地型面积与比例构成

(1)永久性河流：永久性河流仅包括河床部分，采用遥感图上有明显的河道和水流痕迹的部分。广东省河流均属永久性河流，面积为32.06万公顷，占河流湿地的94.90%。全省均有分布，在中、南部的丘陵、台地及三角洲平原地区较为集中(图2-15)。

图**2-15**　永久性河流(东江)

图**2-16**　洪泛平原湿地(东江国家湿地公园)

(2)洪泛平原湿地：洪泛平原湿地指河床至河流多年平均最高水位所淹没的河滩、河心洲、河谷、季节性泛滥的草地和内陆三角洲。广东省的洪泛平原湿地主要分布在珠江三角洲和各大河流中，面积为1.72万公顷，占河流湿地的5.10%。面积较大的有广州市、清远市、电白县、四会市等地区(图2-16)。

2.2 各流域的河流湿地型及面积

广东省有2个一级流域，7个二级流域和13个三级流域。广东省主要水系概况见表2-8，河流湿地分布如图2-17和见表2-9。

表2-8 广东省主要水系概况

流　域	水　系	起讫地点	流域面积（平方公里）	其中省内流域面积（平方公里）	长度（公里）	其中省内长度（公里）
珠　江	西　江	云南霑益县马雄山至广东三水思贤滘	353120	17960	2075	211
	北　江	江西信丰县石碣大茅坑至广东番禺黄阁镇小虎山淹尾	46710	42930	468	458
	东　江	江西寻乌县桠髻铺至广东增城市禺东联围东南	27040	23540	520	393
韩　江	韩　江	广东紫金七星崠北至澄海北港	30112	17851	470	470
粤东沿海	榕　江	广东陆河县凤凰山至汕头牛田洋	4628	4628	185	185
粤西沿海	漠阳江	广东阳春市廉西山至阳江市北津港	6091	6091	199	199
	鉴　江	广东信宜虎豹坑至吴川市沙角旋	9464	8719	232	232
	九州江	广西陆川县大化顶至广东廉江市营仔镇犁头沙	3337	2287	162	89

资料来源：《广东省水资源规划总报告》，广东省水文局，2009年1月。

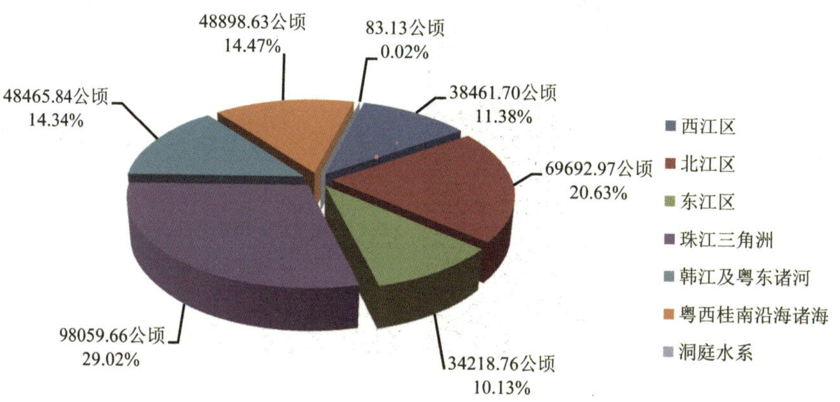

图2-17 广东省各二级流域河流湿地分布和面积、比例构成

表 2-9　广东省各流域河流湿地面积统计(公顷)

一级流域	二级流域	三级流域	永久性河流	洪泛平原湿地	合　计
珠江区	西江流域	桂贺江	751.26		751.26
		黔浔江及西江(梧州以下)	37271.83	438.61	37710.44
		小　计	38023.09	438.61	38461.70
	北江流域	北江大坑口以上	18351.76	457.75	18809.51
		北江大坑口以下	46507.14	4376.32	50883.46
		小　计	64858.90	4834.07	69692.97
	东江流域	东江秋香江口以上	21074.40	680.85	21755.25
		东江秋香江口以下	11643.05	820.46	12463.51
		小　计	32717.45	1501.31	34218.76
	珠江三角洲	东江三角洲	21233.43	1091.03	22324.46
		西北江三角洲	72421.43	3313.77	75735.20
		小　计	93654.86	4404.80	98059.66
	韩江及粤东诸河	韩江白莲以上	22140.28	42.77	22183.05
		韩江白莲以下及粤东诸河	25120.25	1162.54	26282.79
		小　计	47260.53	1205.31	48465.84
	粤西桂南沿海诸河	桂南诸河	132.76		132.76
		粤西诸河	43901.36	4864.51	48765.87
		小　计	44034.12	4864.51	48898.63
	共　计		320548.95	17248.61	337797.56
长江区	洞庭水系	湘江衡阳以上	83.13		83.13
总　计			320632.08	17248.61	337880.69

河流湿地主要分布在珠江区的珠江三角洲和北江区；东江区、韩江及粤东诸河、粤西桂南沿海诸河、西江区的河流湿地分布较均匀；长江区的洞庭水系只有极少数量的河流湿地。

2.3　各湿地区的河流湿地型及面积

广东省的河流湿地主要分布在珠江三角洲和珠江流域范围内。永久性河流以广州市区零星湿地区最多，洪泛平原湿地以清远市清城区零星湿地区最多。各湿地区河流湿地型的面积分布见表2-10。

表 2-10 广东省各湿地区的河流湿地型面积分布(公顷)

湿地区	永久性河流	洪泛平原湿地	合　计
广州市区零星湿地区	14935.80	1309.65	16245.45
英德市零星湿地区	13480.42	55.65	13536.07
东莞市零星湿地区	11651.83	487.17	12139.00
新会区零星湿地区	10268.62	537.77	10806.39
中山市零星湿地区	9024.60	219.66	9244.26
南海区零星湿地区	7491.35	496.38	7987.73
封开县零星湿地区	7207.39	16.54	7223.93
顺德区零星湿地区	7032.52	49.14	7081.66
阳春县零星湿地区	6701.49	107.02	6808.51
惠城区零星湿地区	5193.13	888.92	6082.05
高要市零星湿地区	6078.42		6078.42
三水区零星湿地区	4934.60	785.38	5719.98
清新县零星湿地区	4206.33	1338.17	5544.50
曲江县零星湿地区	5263.31	163.55	5426.86
大埔县零星湿地区	5312.75	16.97	5329.72
博罗县零星湿地区	4884.64	421.82	5306.46
德庆县零星湿地区	5220.00		5220.00
肇庆市区零星湿地区	4578.75	373.89	4952.64
清城区零星湿地区	2151.70	2616.80	4768.50
郁南县零星湿地区	4760.59		4760.59
怀集县零星湿地区	4416.53		4416.53
东源县零星湿地区	4378.22	37.22	4415.44
梅县零星湿地区	4261.74	9.50	4271.24
增城市零星湿地区	3817.09	294.91	4112.00
开平市零星湿地区	3914.04	196.04	4110.08
紫金县零星湿地区	4007.95	74.66	4082.61
阳东县零星湿地区	3103.30	972.37	4075.67
高州市零星湿地区	3998.05	52.36	4050.41
电白县零星湿地区	2836.48	1189.65	4026.13
斗门区零星湿地区	3953.60	28.74	3982.34
化州市零星湿地区	3808.00	117.65	3925.65

（续）

湿地区	永久性河流	洪泛平原湿地	合　计
四会市零星湿地区	3767.06	125.44	3892.50
阳山县零星湿地区	3851.88	25.95	3877.83
丰顺县零星湿地区	3770.61	25.24	3795.85
廉江市零星湿地区	3588.19	170.56	3758.75
吴川县零星湿地区	3238.84	496.81	3735.65
信宜市零星湿地区	3628.90	35.16	3664.06
五华县零星湿地区	3584.35	16.30	3600.65
乐昌市零星湿地区	3501.26	43.11	3544.37
广宁县零星湿地区	3478.92	38.09	3517.01
惠东县零星湿地区	3437.78		3437.78
恩平市零星湿地区	3363.45		3363.45
江门市区零星湿地区	3337.98		3337.98
台山市零星湿地区	3055.13	23.73	3078.86
雷州市零星湿地区	2852.56	194.62	3047.18
龙门县零星湿地区	2908.61	24.57	2933.18
连州市零星湿地区	2920.08		2920.08
潮阳市零星湿地区	2671.07	98.65	2769.72
阳西县零星湿地区	1527.98	1235.52	2763.50
龙川县零星湿地区	2737.71	20.54	2758.25
和平县零星湿地区	2729.65		2729.65
从化市零星湿地区	2655.29	20.96	2676.25
陆丰县零星湿地区	2513.10	130.63	2643.73
始兴县零星湿地区	2604.97		2604.97
罗定县零星湿地区	2446.59	27.71	2474.30
揭东县零星湿地区	2047.06	388.13	2435.19
海丰县零星湿地区	2320.95	112.10	2433.05
乳源县零星湿地区	2386.42	12.62	2399.04
揭西县零星湿地区	2306.69	13.42	2320.11
潮安县零星湿地区	2068.17	151.84	2220.01
翁源县零星湿地区	2175.85	10.13	2185.98
南雄市零星湿地区	2101.42	81.49	2182.91
连平县零星湿地区	2104.73		2104.73

（续）

湿地区	永久性河流	洪泛平原湿地	合 计
湛江市辖区零星湿地区	2038.65	25.00	2063.65
江城区零星湿地区	1890.16	145.23	2035.39
高明区零星湿地区	1989.05		1989.05
遂溪县零星湿地区	1930.53	57.42	1987.95
普宁市零星湿地区	1879.02	9.57	1888.59
兴宁市零星湿地区	1880.43		1880.43
新丰县零星湿地区	1844.97		1844.97
云安县零星湿地区	1796.65		1796.65
揭阳市区零星湿地区	1640.62	100.36	1740.98
新兴县零星湿地区	1709.71		1709.71
仁化县零星湿地区	1679.38		1679.38
惠来县零星湿地区	1598.97	52.35	1651.32
佛冈县零星湿地区	1516.35		1516.35
云城区零星湿地区	1490.28	12.05	1502.33
鹤山市零星湿地区	1464.43		1464.43
饶平县零星湿地区	1291.27	26.76	1318.03
花都区零星湿地区	1296.46	18.02	1314.48
惠阳区零星湿地区	1250.20		1250.20
韶关市辖区零星湿地区	1058.25	156.98	1215.23
源城区零星湿地区	1107.50	84.24	1191.74
蕉岭县零星湿地区	1171.16		1171.16
陆河县零星湿地区	1167.18		1167.18
湘桥区零星湿地区	1120.32	22.93	1143.25
深圳市零星湿地区	1124.67		1124.67
连山县零星湿地区	1104.38	10.85	1115.23
连南县零星湿地区	1039.45	38.82	1078.27
平远县零星湿地区	1003.62		1003.62
茂名市区零星湿地区	931.24	11.71	942.95
徐闻县零星湿地区	763.49		763.49
珠海市区零星湿地区	691.52		691.52
梅江区零星湿地区	645.63		645.63
湛江红树林湿地区	556.66	64.86	621.52

（续）

湿地区	永久性河流	洪泛平原湿地	合 计
汕头市辖区零星湿地区	581. 19		581. 19
西江珍稀鱼类省级自然保护区	433. 12		433. 12
澄海市零星湿地区	319. 16	9. 02	328. 18
蕉岭长潭水库湿地区	298. 56		298. 56
佛山市零星湿地区	271. 50		271. 50
河源新丰江水库湿地区	95. 13		95. 13
曲江罗坑沼泽湿地区	94. 57		94. 57
海丰鸟类自然保护区湿地区	65. 49	21. 54	87. 03
东海岛零星湿地区	81. 81		81. 81
汕尾市区零星湿地区	70. 17		70. 17
连南板洞水库湿地区	32. 38		32. 38
连南排肚河(大鲵)湿地区	32. 33		32. 33
惠东白盆珠水库湿地区	27. 98		27. 98
总 计	320632. 08	17248. 61	337880. 69

2.4 各行政区的河流湿地型及面积

广东省的21个地级市都有河流湿地分布，河流湿地面积分布见表2-11和图2-18。其中，肇庆市地处西江流域内，河流湿地面积最大，有3.57万公顷；其次为地处北江流域的清远市，河流湿地面积为3.44万公顷；江门市地处珠江三角洲平原腹地，河网密布，河流湿地面积为2.62万公顷，排名第三。

表2-11 广东省各行政区河流湿地各湿地型分布(公顷)

序号	地级市	永久性河流	洪泛平原湿地	合 计
1	肇庆市	35188. 75	553. 96	35742. 71
2	清远市	30326. 74	4086. 24	34412. 98
3	江门市	25403. 65	757. 54	26161. 19
4	广州市	22704. 64	1643. 54	24348. 18
5	韶关市	22710. 40	467. 88	23178. 28
6	佛山市	21719. 02	1330. 90	23049. 92
7	梅州市	21928. 85	68. 01	21996. 86
8	惠州市	17702. 34	1335. 31	19037. 65
9	河源市	17160. 89	216. 66	17377. 55

（续）

序号	地级市	永久性河流	洪泛平原湿地	合 计
10	茂名市	15202. 67	1406. 53	16609. 20
11	湛江市	15050. 73	1009. 27	16060. 00
12	阳江市	13222. 93	2460. 14	15683. 07
13	云浮市	12203. 82	39. 76	12243. 58
14	东莞市	11651. 83	487. 17	12139. 00
15	揭阳市	9472. 36	563. 83	10036. 19
16	中山市	9024. 60	219. 66	9244. 26
17	汕尾市	6136. 89	264. 27	6401. 16
18	潮州市	4479. 76	201. 53	4681. 29
19	珠海市	4645. 12	28. 74	4673. 86
20	汕头市	3571. 42	107. 67	3679. 09
21	深圳市	1124. 67		1124. 67
总 计		320632. 08	17248. 61	337880. 69

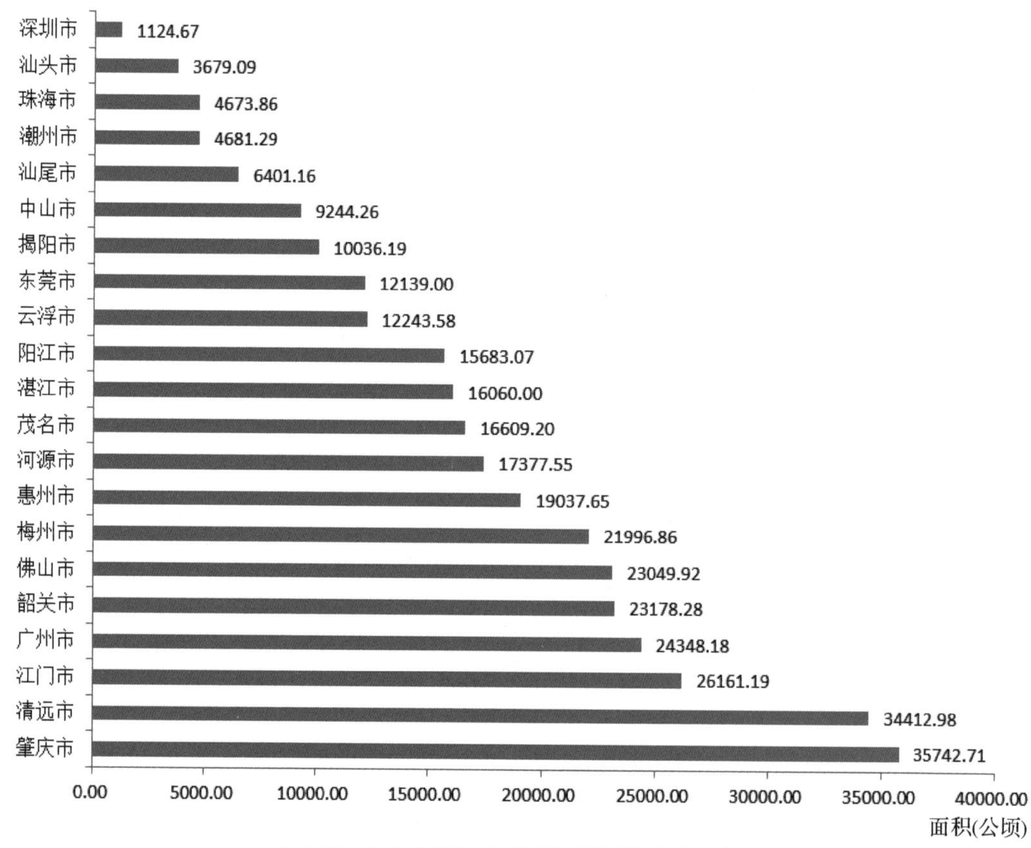

图 **2-18** 广东省各行政区河流湿地面积分布柱状图

3　湖泊湿地分布

3.1　湖泊湿地各湿地型及面积

广东省湖泊湿地只有永久性淡水湖一种湿地型。全省面积大于 8 公顷的永久性淡水湖有 6 个，总面积为 1534.81 公顷，占湿地总面积的 0.09%，包括肇庆星湖、惠州潼湖、惠州西湖、湛江湖光岩、普宁白坑湖和潮安凤凰山天池。广东省湖泊湿地分布见表 2-12。

表 2-12　广东省湖泊湿地分布统计（公顷）

斑块名称	永久性淡水湖	合　计
普宁白坑湖	67.79	67.79
潮安凤凰山天池	8.10	8.10
湛江湖光岩	176.19	176.19
惠州潼湖	494.56	494.56
惠州西湖	146.28	146.28
肇庆星湖	641.89	641.89
总　计	1534.81	1534.81

3.2　各流域的湖泊湿地型及面积

广东省湖泊湿地按流域分布见表 2-13 和图 2-19，6 个湖泊分布在珠江区的 4 个三级流域区，分别为东江秋香江口以下、韩江白莲以下及粤东诸河、黔浔江及西江（梧州以下）、粤西诸河。

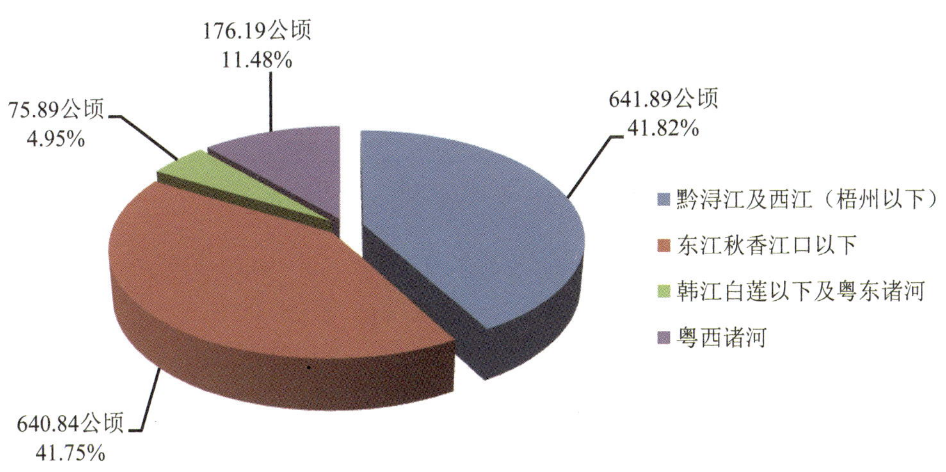

图 **2-19**　广东省各三级流域湖泊湿地面积与比例构成

表 2-13 广东省各流域湖泊湿地分布(公顷)

一级流域	二级流域	三级流域码	永久性淡水湖	合 计
珠江区	西江流域	黔浔江及西江(梧州以下)	641.89	641.89
	东江流域	东江秋香江口以下	640.84	640.84
	韩江及粤东诸河	韩江白莲以下及粤东诸河	75.89	75.89
	粤西桂南沿海诸河	粤西诸河	176.19	176.19
总 计			1534.81	1534.81

3.3 各湿地区的湖泊湿地型及面积

广东省湖泊湿地面积按湿地区分布情况见表 2-14。

表 2-14 广东省各湿地区湖泊湿地面积分布(公顷)

湿地区	永久性淡水湖	合 计
潮安凤凰山天池湿地区	8.10	8.10
肇庆星湖湿地区	641.89	641.89
惠城区零星湿地区	640.84	640.84
湛江市辖区零星湿地区	176.19	176.19
普宁市零星湿地区	67.79	67.79
总 计	1534.81	1534.81

3.4 各行政区的湖泊湿地型及面积

广东省湖泊湿地按行政区域分布情况见表 2-15 和图 2-20。分布在潮州市、揭阳市、惠州市、肇庆市和湛江市。

表 2-15 广东省各行政区湖泊湿地面积分布(公顷)

地级行政区	永久性淡水湖	合 计
潮州市	8.10	8.10
惠州市	640.84	640.84
揭阳市	67.79	67.79
湛江市	176.19	176.19
肇庆市	641.89	641.89
总 计	1534.81	1534.81

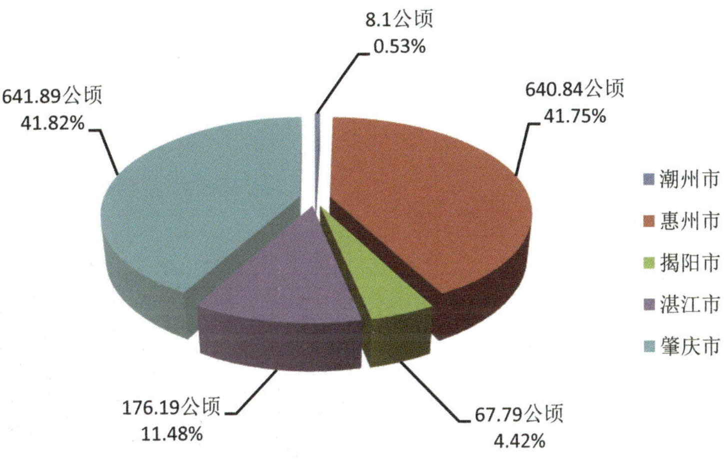

图 **2-20**　广东省各行政区湖泊湿地面积与比例构成

4　沼泽湿地分布

4.1　沼泽湿地各湿地型及面积

广东省的沼泽湿地型有草本沼泽、灌丛沼泽和森林沼泽 3 种，总面积为 3621.49 公顷，占全省湿地总面积的 0.20%。沼泽湿地各湿地型及面积见表 2-16 和图 2-21。

表 2-16　广东省沼泽湿地各湿地型面积分布

湿地型	草本沼泽	灌丛沼泽	森林沼泽	合　计
面积(公顷)	3317.35	206.29	97.85	3621.49
百分比(%)	91.60	5.70	2.70	100

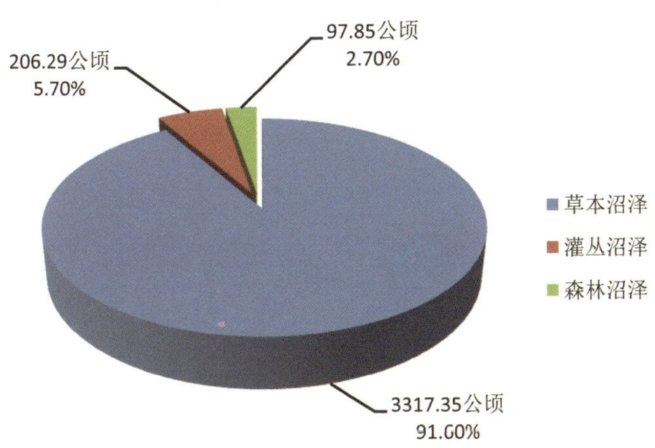

图 **2-21**　广东省沼泽湿地各湿地型面积与比例构成

(1)草本沼泽：该类型湿地总面积为 3317.35 公顷(图 2-22)。主要有分布在粤北的韶关曲江罗坑山地的草本沼泽和粤西的湛江吴川香根草沼泽。吴川市兰石镇的香根草沼泽湿地是目前国内面积最大的天然香根草群落。

(2)灌丛沼泽：该类型湿地总面积为206.29公顷，主要分布在惠州市的龙门县和博罗县。

(3)森林沼泽：该类型湿地面积为97.85公顷，其中珠海斗门白蕉镇竹洲水松林湿地是典型的森林沼泽湿地，也是目前世界上最大的连片水松林(图2-23)。

图**2-22** 草本沼泽(南雄)

图**2-23** 森林沼泽(珠海)

4.2 各流域的沼泽湿地型及面积

广东的沼泽湿地主要分布在珠江区流域，其中粤西桂南沿海诸河和珠江三角洲分别占34.21%和29.36%，北江流域和粤东诸河分布较少(表2-17、图2-24)。

表2-17 广东省各流域沼泽湿地各湿地型面积分布(公顷)

一级流域	二级流域	三级流域	草本沼泽	灌丛沼泽	森林沼泽	合 计
珠江区	北江流域	北江大坑口以上	140.62			140.62
	东江流域	东江秋香江口以上	457.50	28.10		485.60
		东江秋香江口以下	349.57			349.57
	珠江三角洲	东江三角洲	729.85	178.19		908.04
		西北江三角洲	139.34		15.83	155.17
	韩江及粤东诸河	韩江白莲以上			73.70	73.70
		韩江白莲以下及粤东诸河	261.41			261.41
	粤西桂南沿海诸河	粤西诸河	1239.06			1239.06
共 计			3317.35	206.29	89.53	3613.17
滨海区	滨海湿地	滨海湿地			8.32	8.32
共 计					8.32	8.32
总 计			3317.35	206.29	97.85	3621.49

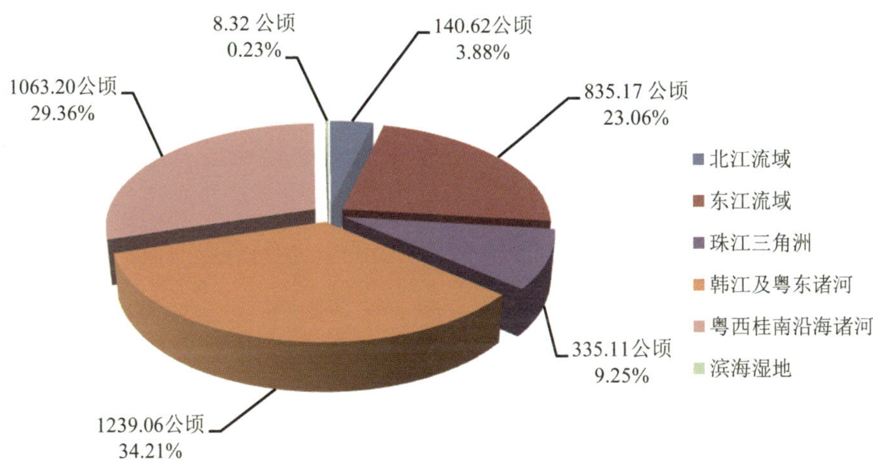

图 **2-24**　广东省二级流域沼泽湿地面积与比例构成

4.3　各湿地区的沼泽湿地型及面积

广东省有 20 个湿地区分布有沼泽湿地，其中龙门县、高州市、博罗县零星湿地区的沼泽湿地分别列前三名。各湿地区沼泽湿地面积分布情况见表 2-18。

表 2-18　广东省各湿地区沼泽湿地各湿地型面积分布(公顷)

湿地区	草本沼泽	灌丛沼泽	森林沼泽	合　计
龙门县零星湿地区	626. 50	178. 19		804. 69
高州市零星湿地区	584. 53			584. 53
博罗县零星湿地区	524. 33	28. 10		552. 43
阳东县零星湿地区	371. 89			371. 89
惠城区零星湿地区	318. 86			318. 86
惠来县零星湿地区	250. 28			250. 28
曲江罗坑沼泽湿地区	140. 62			140. 62
廉江市零星湿地区	129. 79			129. 79
阳春县零星湿地区	103. 43			103. 43
南海区零星湿地区	92. 02			92. 02
大埔县零星湿地区			73. 70	73. 70
惠东白盆珠水库湿地区	57. 36			57. 36
顺德区零星湿地区	37. 51			37. 51
雷州市零星湿地区	32. 37			32. 37
斗门区零星湿地区			15. 83	15. 83

（续）

湿地区	草本沼泽	灌丛沼泽	森林沼泽	合　计
揭西县零星湿地区	11.13			11.13
增城市零星湿地区	9.87			9.87
开平市零星湿地区	9.81			9.81
化州市零星湿地区	8.80			8.80
深圳市零星湿地区			8.32	8.32
吴川县零星湿地区	8.25			8.25
总　计	3317.35	206.29	97.85	3621.49

4.4 各行政区的沼泽湿地型及面积

广东省的沼泽湿地分布在11个市，其中惠州市的面积最大，茂名市次之，阳江市第三。森林沼泽主要分布在珠海市、深圳市和梅州市，灌丛沼泽只分布在惠州市(表2-19)。

表2-19 广东省各行政区沼泽湿地各湿地型面积分布(公顷)

地级市	草本沼泽	灌丛沼泽	森林沼泽	合　计
惠州市	1527.05	206.29		1733.34
茂名市	593.33			593.33
阳江市	475.32			475.32
揭阳市	261.41			261.41
湛江市	170.41			170.41
韶关市	140.62			140.62
佛山市	129.53			129.53
梅州市			73.70	73.70
珠海市			15.83	15.83
广州市	9.87			9.87
江门市	9.81			9.81
深圳市			8.32	8.32
总　计	3317.35	206.29	97.85	3621.49

5 人工湿地分布

5.1 人工湿地型及面积

人工湿地包括面积不小于8公顷的库塘、运河/输水河、水产养殖场、盐田等4种湿地型。

广东省人工湿地总面积为59.53万公顷，占全省湿地总面积的33.95%（表2-20）。

表2-20　广东省人工湿地各湿地型面积汇总

湿地型	库　塘	运河/输水河	水产养殖场	盐　田	合　计
面积（公顷）	219062.01	9387.79	364549.92	2308.87	595308.59
百分比（%）	36.80	1.58	61.24	0.39	100

（1）库塘：库塘主要指为蓄水、发电、农业灌溉、城市景观、农村生活而形成的积水区，包括水库、农用池塘、城市公园景观水面等。广东境内的库塘大多分布于丘陵和山地，总面积为21.91万公顷，占全省人工湿地总面积的36.80%。其中，库容量在10亿立方米以上的水库有新丰江水库、枫树坝水库、鹤地水库、南水水库、白盆珠水库和高州水库等（图2-25）。面积大于1000公顷的水库共有18座，见表2-21。

表2-21　广东省面积大于1000公顷的水库一览

序号	水　库	面积（公顷）
1	河源新丰江水库	30957.43
2	鹤地水库	9380.37
3	高州水库	5189.21
4	龙川枫树坝水库	3797.45
5	惠东白盆珠水库	3436.92
6	乳源南水水库	3254.96
7	海丰公平水库	3205.67
8	开平大沙河水库	2713.75
9	恩平锦江水库	2050.32
10	五华益塘水库	1933.09
11	饶平汤溪水库	1659.15
12	台山端芬大隆洞水库	1465.27
13	博罗显岗水库	1350.53
14	从化流溪河水库	1277.04
15	徐闻大水桥水库	1122.93
16	廉江武陵水库	1045.20
17	惠来石榴潭水库	1007.33
18	四会龙甫镇芙蓉村水库	1006.84

(2)运河/输水河：运河/输水河是指为输水或水运而建造的人工河道，包括以灌溉为主要目的的沟、渠。广东省运河/输水河面积为9387.79公顷，占人工湿地面积的1.58%。主要运河有湛江青年运河、东深工程运河等(图2-26)。

(3)水产养殖场：包括海边和内陆的水产养殖鱼塘。该类型湿地主要分布在全省沿海地区，面积为36.45万公顷，占人工湿地面积的61.24%。水产养殖场是沿海地区群众开发、围垦海边滩涂，挖泥、筑基、围塘，利用潮水涨退，在塘内养殖海水鱼、虾、蟹等水产的一种土地利用方式。水产养殖场的过度利用，易引起水质污染(图2-27)。

图**2-25**　库塘(深圳坪山赤坳水库)

图**2-26**　运河/输水河(深圳)

(4)盐田：盐田是指为获取盐业资源而修建的晒盐场所或盐池，包括盐池、盐水泉。广东省沿海地区分布有不少盐田湿地，面积约2308.87公顷，占人工湿地面积的0.39%。主要分布在潮州、惠来、南澳、珠海、阳西、台山、电白、徐闻、湛江市区、遂溪以及雷州等市(县)(图2-28)。

图**2-27**　水产养殖场(海丰联安围)

图**2-28**　盐田(惠东)

5.2　各流域的人工湿地型及面积

广东省各流域人工湿地各湿地型面积分布见表2-22和图2-29。从表2-22中可以看出，人工湿地中库塘、水产养殖场和运河/输水河大部分集中在珠江流域和滨海湿地。

表 2-22 广东省各流域人工湿地各湿地型面积统计(公顷)

流域			湿地型				合 计
一级流域	二级流域	三级流域	库 塘	运河/输水河	水产养殖场	盐 田	
珠江区	西江流域	桂贺江	116.50				116.50
		黔浔江及西江(梧州以下)	11249.49		9691.28		20940.77
		小 计	11365.99		9691.28		21057.27
	北江流域	北江大坑口以上	11745.01		190.02		11935.03
		北江大坑口以下	20577.89		13026.82		33604.71
		小 计	32322.90		13216.84		45539.74
	东江流域	东江秋香江口以上	40931.64		2030.43		42962.07
		东江秋香江口以下	12341.42	277.57	9965.60		22584.59
		小 计	53273.06	277.57	11996.03		65546.66
	珠江三角洲	东江三角洲	13007.74	1052.37	10534.03		24594.14
		西北江三角洲	23294.09	3966.95	134387.74		161648.78
		小 计	36301.83	5019.32	144921.77		186242.92
	韩江及粤东诸河	韩江白莲以上	5617.86	17.58	461.80		6097.24
		韩江白莲以下及粤东诸河	25084.61	407.74	12723.05		38215.40
		小 计	30702.47	425.32	13184.85		44312.64
	粤西桂南沿海诸河	桂贺	137.82		95.56		233.38
		黔浔江及西江(梧州以下)	54700.40	1410.44	17034.96		73145.80
		小 计	54838.22	1410.44	17130.52		73379.18
	共 计		218804.47	7132.65	210141.29		436078.41
长江区	洞庭湖水系	湘江衡阳以上	9.81				9.81
	共 计		9.81				9.81
滨海区	滨海湿地	滨海湿地	247.73	2255.14	154408.63	2308.87	159220.37
	共 计		247.73	2255.14	154408.63	2308.87	159220.37
总 计			219062.01	9387.79	364549.92	2308.87	595308.59

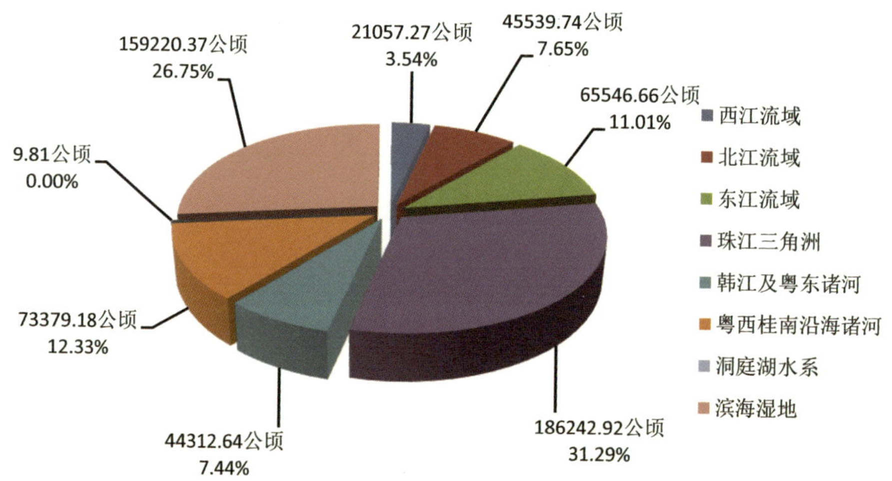

图 2-29 广东省二级流域人工湿地面积与比例构成

5.3 各湿地区的人工湿地型及面积

广东省人工湿地按湿地区面积分布情况见表2-23。从表中可以看出，人工湿地面积最大的是中山市零星湿地区；其次是河源新丰江水库湿地区。库塘湿地面积最大的是河源新丰江水库湿地区，鹤地水库湿地区次之。水产养殖场面积前三名是中山、顺德、斗门零星湿地区。运河/输水河面积前三名是中山、斗门、广州市区零星湿地区。盐田面积前三名是台山、阳西、南澳零星湿地区。

表 2-23 广东省各湿地区人工湿地各湿地型面积分布(公顷)

湿地区	库 塘	运河/输水河	水产养殖场	盐 田	总 计
中山市零星湿地区	655. 19	1680. 57	29999. 28		32335. 04
河源新丰江水库湿地区	30967. 75				30967. 75
台山市零星湿地区	7021. 97	150. 42	19500. 68	650. 61	27323. 68
顺德区零星湿地区	11. 61	396. 16	26117. 00		26524. 77
斗门区零星湿地区	505. 15	1336. 86	23170. 18		25012. 19
雷州市零星湿地区	4341. 42	275. 81	12604. 82	137. 79	17359. 84
南海区零星湿地区	837. 37	324. 88	15801. 35		16963. 60
三水区零星湿地区	617. 59		15333. 08		15950. 67
新会区零星湿地区	1486. 73	231. 44	14055. 78		15773. 95
广州市区零星湿地区	900. 24	1296. 84	12627. 54		14824. 62
湛江市辖区零星湿地区	1122. 45	898. 03	11997. 28	95. 68	14113. 44
饶平县零星湿地区	2288. 85		10382. 98		12671. 83
四会市零星湿地区	6986. 97		5026. 40		12013. 37
东莞市零星湿地区	5028. 71	437. 71	6106. 90		11573. 32
徐闻县零星湿地区	3327. 50		7703. 88	238. 86	11270. 24

（续）

湿地区	库　塘	运河/输水河	水产养殖场	盐　田	合　计
高要市零星湿地区	4724.41	13.44	6421.60		11159.45
电白县零星湿地区	2443.64	93.53	7501.15	22.13	10060.45
惠城区零星湿地区	3155.99	204.37	6661.58		10021.94
博罗县零星湿地区	5208.68	12.38	4741.31		9962.37
江城区零星湿地区	447.91	36.77	9236.59		9721.27
廉江鹤地水库湿地区	9422.75				9422.75
潮阳市零星湿地区	1770.33	140.84	6982.27	28.01	8921.45
深圳市零星湿地区	5468.66		3147.35		8616.01
惠来县零星湿地区	4438.51		3851.58	41.49	8331.58
江门市区零星湿地区	355.94	27.66	7566.45		7950.05
廉江市零星湿地区	3693.31	307.10	3798.84		7799.25
高州市零星湿地区	7550.52	93.05	11.06		7654.63
开平市零星湿地区	5322.28		2218.04		7540.32
阳西县零星湿地区	2891.33		3840.99	559.32	7291.64
陆丰县零星湿地区	2764.83		4505.80		7270.63
肇庆市区零星湿地区	360.70		6793.10		7153.80
高明区零星湿地区	874.84	28.10	6112.08		7015.02
恩平市零星湿地区	5536.21		731.84		6268.05
海丰县零星湿地区	3025.36	131.50	3056.75		6213.61
花都区零星湿地区	1805.83		4381.94		6187.77
海丰鸟类自然保护区湿地区	3039.43		2517.95		5557.38
汕头市辖区零星湿地区	64.28		5341.24		5405.52
阳东县零星湿地区	2768.63	90.50	2477.69		5336.82
遂溪县零星湿地区	1821.90	357.95	3118.01	21.17	5319.03
珠海市区零星湿地区	194.25	149.17	4710.97		5054.39
英德市零星湿地区	4628.32		271.98		4900.30
汕尾市区零星湿地区	1328.06		3559.98		4888.04
清新县零星湿地区	854.85		3882.77		4737.62
澄海市零星湿地区	21.65	135.40	4408.54		4565.59
东海岛零星湿地区	246.79		4128.93	178.27	4553.99
吴川县零星湿地区	544.90	8.15	3913.74		4466.79
化州市零星湿地区	2297.05	29.74	1757.31		4084.10
阳春县零星湿地区	3888.28	15.70			3903.98
龙川枫树坝水库湿地区	3803.67				3803.67
揭东县零星湿地区	612.96		2991.26		3604.22
惠东县零星湿地区	1555.42		1910.57		3465.99

（续）

湿地区	库 塘	运河/输水河	水产养殖场	盐 田	合 计
清城区零星湿地区	1438.03		2016.16		3454.19
惠东白盆珠水库湿地区	3436.92				3436.92
鹤山市零星湿地区	1037.16		2273.25		3310.41
乳源南水水库湿地区	3254.96				3254.96
惠阳区零星湿地区	2048.95		1157.60		3206.55
增城市零星湿地区	1348.53	427.90	1357.04		3133.47
龙门县零星湿地区	2663.82		186.42		2850.24
汕头海岸湿地区			2805.93		2805.93
从化市零星湿地区	2765.82				2765.82
湛江红树林湿地区			2738.40		2738.40
潮安县零星湿地区	727.21		1892.39		2619.60
曲江县零星湿地区	2218.88		149.33		2368.21
五华县零星湿地区	1951.71				1951.71
怀集县零星湿地区	1936.01				1936.01
仁化县零星湿地区	1856.78				1856.78
普宁市零星湿地区	1610.26		226.65		1836.91
罗定县零星湿地区	1808.32				1808.32
连州市零星湿地区	1751.98				1751.98
南雄市零星湿地区	1721.77				1721.77
兴宁市零星湿地区	1500.68	17.58	121.29		1639.55
揭西县零星湿地区	828.52		591.58		1420.10
茂名市区零星湿地区	1334.16	38.24	16.01		1388.41
封开县零星湿地区	1233.46				1233.46
韶关市辖区零星湿地区	1031.32		40.69		1072.01
新兴县零星湿地区	999.85				999.85
翁源县零星湿地区	950.80				950.80
德庆县零星湿地区	872.32				872.32
东源县零星湿地区	844.76				844.76
郁南县零星湿地区	803.86				803.86
紫金县零星湿地区	770.76				770.76
梅县零星湿地区	627.29		122.79		750.08
平远县零星湿地区	712.76				712.76
乳源县零星湿地区	638.55				638.55
阳山县零星湿地区	634.45				634.45
陆河县零星湿地区	571.59				571.59
湘桥区零星湿地区	168.68		380.23		548.91

（续）

湿地区	库　塘	运河/输水河	水产养殖场	盐　田	合　计
龙川县零星湿地区	545.04				545.04
乐昌市零星湿地区	506.76				506.76
和平县零星湿地区	482.14				482.14
电白红树林湿地区			472.22		472.22
佛冈县零星湿地区	308.78		146.47		455.25
云城区零星湿地区	453.64				453.64
广州南沙湿地公园湿地区	60.38		379.32		439.70
丰顺县零星湿地区	302.13		128.57		430.70
蕉岭县零星湿地区	346.14		76.57		422.71
始兴县零星湿地区	419.79				419.79
连平县零星湿地区	362.22				362.22
信宜市零星湿地区	359.35				359.35
南澳县零星湿地区	57.16			295.72	352.88
云安县零星湿地区	327.23				327.23
广宁县零星湿地区	308.17				308.17
源城区零星湿地区	204.93		13.99		218.92
曲江罗坑沼泽湿地区	217.30				217.30
新丰县零星湿地区	212.70				212.70
梅江区零星湿地区	151.32		47.02		198.34
揭阳市区零星湿地区	15.41		162.18		177.59
大埔县零星湿地区	119.87		42.84		162.71
连山县零星湿地区	123.43				123.43
茂名大洲岛省级湿地公园湿地区				39.82	39.82
连南板洞水库湿地区	33.44				33.44
阳西红树林湿地区			26.57		26.57
连南县零星湿地区	11.79				11.79
总　计	219062.01	9387.79	364549.92	2308.87	595308.59

5.4　各行政区的人工湿地型及面积

广东省人工湿地按行政区分类汇总见表2-24。从表中可以看出，广东省21个地级市均分布有人工湿地，其中湛江市的人工湿地面积最大，为7.59万公顷，占全省人工湿地面积的12.74%；其次是江门市，第三是佛山市。库塘湿地面积前三名是河源市、湛江市和江门市；运河（输水河）面积前三名是湛江市、广州市和中山市；水产养殖场面积前三名是佛山市、湛江市和江门市；盐田面积前三名分别是湛江市、江门市和阳江市。

表 2-24 广东省各行政区人工湿地各湿地型面积汇总(公顷)

地级市	库 塘	运河/输水河	水产养殖场	盐 田	合 计
湛江市	23388.73	1847.04	50003.90	671.77	75911.44
江门市	20760.29	409.52	46346.04	650.61	68166.46
佛山市	2341.41	749.14	63363.51		66454.06
河源市	37981.27		13.99		37995.26
肇庆市	16422.04	13.44	18241.10		34676.58
惠州市	18069.78	216.75	14657.48		32944.01
中山市	655.19	1680.57	29999.28		32335.04
珠海市	699.40	1486.03	27881.15		30066.58
广州市	6880.80	1724.74	18745.84		27351.38
阳江市	9996.15	142.97	15581.84	559.32	26280.28
茂名市	15117.01	254.56	9757.75	61.95	25191.27
汕尾市	10729.27	131.50	13640.48		24501.25
汕头市	1913.42	276.24	19537.98	323.73	22051.37
清远市	9785.07		6317.38		16102.45
潮州市	3184.74		12655.60		15840.34
揭阳市	7505.66		7823.25	41.49	15370.40
韶关市	13029.61		190.02		13219.63
东莞市	5028.71	437.71	6106.90		11573.32
深圳市	5468.66		3147.35		8616.01
梅州市	5711.90	17.58	539.08		6268.56
云浮市	4392.90				4392.90
总 计	219062.01	9387.79	364549.92	2308.87	595308.59

第三节 湿地特点和分布规律

1 湿地特点

1.1 湿地类型分布特点

(1)湿地类型多样，分布不均，呈明显的地域性。广东省湿地类型多、面积大，包括 5 大类 21 个湿地型，总面积为 175.34 万公顷。其中，近海与海岸湿地、人工湿地和河流湿地面积占湿地总面积的 99.71%；沼泽湿地和湖泊湿地只占 0.29%。

湿地分布广泛但不均匀。河流湿地主要分布在珠江三角洲流域和珠江流域范围内。近海与海岸湿地主要分布在沿海城市的河流出海口西面。人工湿地主要分布在珠江三角洲和沿海发达地区。另外，湖泊湿地和沼泽湿地类型在广东分布较少。

(2)近海与海岸湿地面积大、类型多，红树林面积全国最大，分布广。广东省近海与海岸湿地面积81.51万公顷，占全省湿地总面积的46.49%。红树林分布广，从广东省最东边的饶平县沿海到最西边的廉江市沿海均生长着不同种类的红树林，面积有1.97万公顷，种类有14科20属22种。

(3)人工湿地多，沿海地区和珠江三角洲水产养殖场面积大。广东省有人工湿地59.53万公顷，占湿地总面积的33.95%。其中，水产养殖场面积为36.45万公顷，占人工湿地面积的61.24%。按流域统计，珠江三角洲的水产养殖场面积为14.49万公顷，占水产养殖场面积的39.75%；滨海地区的水产养殖场面积为15.44万公顷，占水产养殖场面积的42.36%。滨海地区为广东省现代养殖业集中地区，并且还有继续增长的趋势。

(4)河流湿地多，永久性河流分布全省。广东省地处珠江流域下游，河流遍布全省。粤北有北江、西江，粤东有韩江，粤西有鉴江、漠阳江，珠江三角洲有东江和珠江纵横交错的河道。永久性河流湿地面积为32.06万公顷，占全省湿地总面积的18.29%。

(5)湿地动植物种类丰富。根据资料记载和野外调查统计，广东湿地植物共有623种，分属于93科253属。动物有兽类4目4科11种；鸟类13目23科155种；爬行类2目6科34种；两栖类2目9科32种；鱼类有海鱼54科211种，河口水域、河流、水库的淡水鱼类有17目45科262种。此外，湿地还有许多昆虫、底栖动物、浮游动物等。

1.2 湿地的土地权属特点

湿地的土地权属分为集体和国有两种。广东省的国有湿地面积为140.52万公顷，占全省湿地总面积的80.14%；集体湿地面积为34.82万公顷，占全省湿地总面的19.86%(表2-25)。

表2-25 广东省各湿地类型权属情况统计(公顷)

湿地类	湿地型	权属		合计
		国有	集体	
近海与海岸湿地	浅海水域	518368.52		518368.52
	潮下水生层	112.74		112.74
	珊瑚礁	230.71		230.71
	岩石海岸	2046.20		2046.20
	沙石海滩	19459.85		19459.85
	淤泥质海滩	32848.32		32848.32
	潮间盐水沼泽	802.29		802.29
	红树林	19751.23		19751.23
	河口水域	193200.00		193200.00
	三角洲/沙洲/沙岛	10019.16		10019.16
	海岸性咸水湖	18259.47		18259.47

（续）

湿地类	湿地型	权 属		合 计
		国 有	集 体	
河流湿地	永久性河流	320632.08		320632.08
	洪泛平原湿地	17248.61		17248.61
湖泊湿地	永久性淡水湖	1534.81		1534.81
沼泽湿地	草本沼泽	2605.50	711.85	3317.35
	灌丛沼泽	206.29		206.29
	森林沼泽	97.85		97.85
人工湿地	库 塘	160145.64	58916.37	219062.01
	运河/输水河	7249.62	2138.17	9387.79
	水产养殖场	78903.61	285646.31	364549.92
	盐 田	1539.10	769.77	2308.87
总 计		1405261.60	348182.47	1753444.07
百分比(%)		80.14	19.86	100

1.3 湿地水源补给状况

广东省湿地水源补给状况见表2-26。其中，属综合补给的湿地面积为139.74万公顷，占全省湿地总面积的79.69%；属地表径流补给的湿地面积为28.01万公顷，占15.98%；属大气降水补给的湿地面积为5.69万公顷，占3.25%；人工补给的湿地面积为1.90万公顷，占1.08%，人工补给的湿地型主要是水产养殖场和库塘。

表2-26 湿地水源补给状况(公顷)

湿地类	湿地型	水补给状况					合 计
		地表径流	大气降水	地下水	人工补给	综合补给	
近海与海岸湿地	浅海水域					518368.52	518368.52
	潮下水生层					112.74	112.74
	珊瑚礁					230.71	230.71
	岩石海岸					2046.20	2046.20
	沙石海滩					19459.85	19459.85
	淤泥质海滩					32848.32	32848.32
	潮间盐水沼泽	16.52				785.77	802.29
	红树林					19751.23	19751.23
	河口水域	34.56				193165.44	193200.00
	三角洲/沙洲/沙岛					10019.16	10019.16
	海岸性咸水湖					18259.47	18259.47

（续）

湿地类	湿地型	水补给状况					合　计
		地表径流	大气降水	地下水	人工补给	综合补给	
河流湿地	永久性河流	238434.12	5242.59	19.82		76935.55	320632.08
	洪泛平原湿地	5801.05	483.30			10964.26	17248.61
湖泊湿地	永久性淡水湖	641.89				892.92	1534.81
沼泽湿地	草本沼泽					3317.35	3317.35
	灌丛沼泽					206.29	206.29
	森林沼泽					97.85	97.85
人工湿地	库　塘	9611.91	33831.93		1609.19	174008.98	219062.01
	运河/输水河	7525.30	150.42		17.64	1694.43	9387.79
	水产养殖场	18061.79	17208.37		17400.66	311879.10	364549.92
	盐　田					2308.87	2308.87
总　计		280127.14	56916.61	19.82	19027.49	1397353.01	1753444.07
百分比(%)		15.98	3.25	0.00	1.08	79.69	100

2　湿地分布规律

广东省湿地分布呈现如下规律：近海与海岸湿地分布在全省沿海各地，其中浅海水域大部分分布在珠江口西面至湛江段海域；河口水域则集中分布在各条江河的出海口；红树林湿地在全省沿海滩涂均有分布，但大部分分布在珠江口西面至粤西沿海。河流湿地全省均有分布，但大部分分布在粤西北的西江流域和北江流域范围内。人工湿地各地均有分布，其中库塘湿地分布在全省各地，水产养殖场集中分布在珠江三角洲平原地区。湖泊湿地只有6个，呈零星分布。沼泽湿地比较少，主要分布在惠州、茂名和阳江等市，其他地方有零星分布。

第三章
湿地生物资源

第一节
湿地植物和植被

1　湿地植物

1.1　湿地植物种类组成

广东省的湿地植物物种统计，蕨类植物按照秦仁昌系统，裸子植物按照郑万钧系统，被子植物按照恩格勒系统。根据资料记载和野外调查统计，广东省湿地植物共有高等植物623种，分属于93科253属。其中，苔藓植物3科3属3种；蕨类植物9科9属15种；裸子植物1科3属4种；被子植物80科238属601种(其中，双子叶植物58科131属276种，单子叶植物22科107属325种)(表3-1)。

表3-1　广东省湿地植物各类群统计

植物类群		科	属	种
苔藓植物		3	3	3
蕨类植物		9	9	15
裸子植物		1	3	4
被子植物	双子叶植物	58	131	276
	单子叶植物	22	107	325
	小　计	80	238	601
合　计		93	253	623

据统计，广东省湿地植物种类最多的科为莎草科20属131种，其次是禾本科44属76种、玄参科10属38种、蓼科3属30种、菊科18属26种，种类10种以上的还有水鳖科7属15种、鸭跖草科3属17种，谷精草科1属15种，柳叶菜科3属14种，千屈菜科4属10种，天南星科7属

13 种以及泽泻科 3 属 11 种。

1.2　常见湿地植物

根据湿地植物分布的生境，常见的湿地植物有以下六大类。

1.2.1　分布于沿海滩涂的红树植物

组成红树林的植物称为红树植物，根据其是否专一性地生长于潮间带，又可分为真红树和半红树。真红树专一性地生长于潮间带，而半红树能生长于潮间带，成为优势种，也能在陆地非盐渍土上生长。根据王文卿、王瑁《中国红树林》的记载和划分标准，广东省红树林种类仅次于海南省，达 15 科 23 种。其中，真红树 7 科 14 种，海桑、无瓣海桑、拉关木 3 种外来红树在广东已经普遍引种；半红树 8 科 9 种，其中玉蕊科的玉蕊是 2009 年在湛江雷州九龙山发现的，这是该树种在海南、台湾以外的我国大陆地区首次记录。

广东省红树林植物种类及分布情况见表 3-2。

表 3-2　广东省红树植物一览

序号	科　名	种　名	类　型	主要分布	备　注
1	卤蕨科	卤蕨 *Acrostichum aureum*	真红树	全省沿海	
2	红树科	红海榄 *Rhizophora stylosa*	真红树	湛江、阳江、惠东	
3	红树科	秋茄 *Kandelia candel*	真红树	全省沿海	
4	红树科	木榄 *Bruguiera gymnorrhiza*	真红树	湛江、阳江、台山、惠东	
5	红树科	角果木 *Ceriops tagal*	真红树	徐闻	
6	海桑科	海桑 *Sonneratia caseolaria*	真红树	全省沿海	引种
7	海桑科	无瓣海桑 *S. apetala*	真红树	全省沿海	引种
8	使君子科	拉关木 *Laguncularia racemosa*	真红树	茂名、汕头	引种
9	紫金牛科	桐花树 *Acgiceras corniculatum*	真红树	全省沿海	
10	马鞭草科	白骨壤 *Avicennia marina*	真红树	全省沿海	
11	使君子科	榄李 *Lumnitzera reacemcsa*	真红树	湛江、惠东	
12	爵床科	老鼠簕 *Acanthus ilicifolius*	真红树	全省沿海	
13	爵床科	小花老鼠簕 *A. ebracteatus*	真红树	徐闻、台山	
14	大戟科	海漆 *Excoecaria agallocha*	真红树	全省沿海	
15	梧桐科	银叶树 *Heritiera litteralis*	半红树	深圳、海丰、珠海	
16	玉蕊科	玉蕊 *Barringtonia racemosa*	半红树	雷州	
17	马鞭草科	假茉莉 *Clerodendrum inerme*	半红树	全省沿海	
18	马鞭草科	钝叶臭黄荆 *Premna obtusifolia*	半红树	湛江、茂名	
19	锦葵科	黄槿 *Hibiscus tiliaceus*	半红树	全省沿海	
20	锦葵科	杨叶肖槿 *Thespesia populnea*	半红树	全省沿海	
21	夹竹桃科	海芒果 *Cerebra manghas*	半红树	全省沿海	
22	菊科	阔苞菊 *Pluchea indica*	半红树	全省沿海	
23	蝶形花科	水黄皮 *Pongamia pinnata*	半红树	全省沿海	

1.2.2 分布于沿海沙滩和沙石海滩的沙生植物

分布于沿海的沙石海滩，主要种类有单叶蔓荆、马甲子、厚藤、露兜簕、草海桐、蔓茎栓果菊、盐地鼠尾粟、中华补血草等，大都有耐旱、耐盐的特性。

1.2.3 分布于沿海河口和潮间带的草本沼泽植物

主要分布于沿海河口和潮间带，常形成大片的潮间盐水沼泽，主要植物种类有短叶茳芏、茳芏、芦苇、水葱，有时伴生有老鼠簕、桐花树等红树植物。

1.2.4 分布于河流、湖泊、池塘的湿地植物

分布于全省的河流、湖泊、池塘中。其中沉水植物有黄花狸藻、菹草、黑藻、眼子菜、苦草、金鱼藻、穗花狐尾藻等；挺水植物有铺地黍、水蓼、酸模叶蓼等；浮叶植物有水皮莲、喜旱莲子草、水龙等；漂浮植物有凤眼莲、大薸、槐叶苹、浮萍等。

1.2.5 分布于山地沼泽的湿地植物

分布于较高海拔的山地中。常见种类有泥炭藓、鳞子莎、田葱、谷精草、薹草、灯心草、茅膏菜、蔗草等。

1.2.6 人工栽培的湿地植物

作为粮食、蔬菜、药材栽培的有水稻、莲藕(荷花)、荸荠(马蹄)、菱角、芡实、菰(茭笋)、慈姑、蕹菜(空心菜)、西洋菜(豆瓣菜)、蒲草等。如广州“泮塘五秀”，因莲藕、马蹄、菱角、茭笋和慈姑5种水生植物而闻名。

常见观赏湿地植物有荷花、睡莲、粉绿狐尾藻、梭鱼草、水竹芋、风车草、纸莎草、芦竹、香蒲、水生美人蕉等。

1.3 珍稀濒危湿地植物

广东省湿地植物中有国家重点保护植物5种，其中莼菜、水松是国家Ⅰ级保护野生植物，水蕨为国家Ⅱ级保护植物(表3-3)。

此外，野生睡莲、珊瑚菜、宽叶泽薹草、榄李、玉蕊和龙舌草等分布范围很狭窄，是珍稀的湿地植物。

表3-3 广东省国家重点保护的湿地植物

名称	保护级别	分 布
莼菜	Ⅰ	阳山、南雄
水松	Ⅰ	珠江三角洲
水蕨	Ⅱ	广州、台山、云浮、郁南、湛江、怀集等

1.4 外来湿地植物

广东是外来入侵植物较严重的省份之一，湿地入侵植物也不例外。其中，以凤眼莲分布最为普遍，其次为喜旱莲子草、大薸，在珠江三角洲各处的河汊、水渠、湖沼中均有分布，往往要花费大量的人力去打捞清理。

沿海的外来有害植物主要是互花米草(俗称大米草)。互花米草在江门和珠海的沿海泥滩有较大面积的分布，其繁衍会导致本土海岸生态系统失衡，原生植被消失。

2 湿地植被

根据植被型组—植被型—群系的分类，广东省湿地植被共有5个植被型组(即针叶林湿地植被型组、阔叶林湿地植被型组、草丛湿地植被型组、浅水植物湿地植被型组、红树林湿地植被型组)，10个植被型，50多个群系。

2.1 针叶林湿地植被型组

(1)水松群系：水松是我国特有的孑遗植物，它在新生代第三纪广布于北半球各地，现仅分布于我国广东、广西、福建和江西等省份。广东主要分布在珠江三角洲一带。此外，在粤东及粤西的部分地区亦有零星分布。现存面积最大的一片水松林位于珠海市斗门区白蕉镇竹洲村，面积约16公顷。

(2)落羽杉群系：落羽杉在珠江三角洲河网一带作为农田防护林广泛栽培，常与同属植物池杉混生。

2.2 阔叶林湿地植被型组

Ⅰ. 竹林湿地植被型

广东的竹林常自然生长或人工种植在河漫滩、河堤、湖泊及水库旁的低洼地，群落面积大，往往成为单优分布，其中以广宁、怀集、四会、大埔等地分布面积较大。如广宁的青皮竹为优良篾用竹；怀集的茶秆竹可加工成精美的钓鱼竿等远销国外。主要群系有：

(1)茶秆竹群系：该群系主要分布于广东与广西、湖南三省相邻的丘陵河谷地带，集中分布在广东绥江流域，怀集县为主要产区。

(2)粉箪竹群系：该群系在省内分布比较普遍，常栽植于海拔500米以下的河流两岸、丘陵缓坡、低山谷地、村前屋后。

(3)青皮竹群系：该群系在东江、西江、北江、韩江两岸均有分布，但主要分布在绥江流域江河沿岸，垂直分布一般在海拔300米以下，以广宁县最多。

(4)撑篙竹群系：该群系主要分布在珠江流域的中下游两岸，以广宁、封开、郁南、四会等县分布较多，是广东人工栽培的主要用材竹种之一。

Ⅱ. 常绿阔叶林湿地植被型

(1)榕树群系：该群系主要分布在珠江三角洲、粤西、粤东低洼地或水塘边，一般以小叶榕为主。广东省榕树树龄最长的超过400年。其中最具特色的是新会小鸟天堂的榕树，1棵榕树的树冠覆盖面积达1公顷，有上万只鹭鸟在此栖息繁衍。

(2)蒲葵群系：蒲葵主要分布在珠江三角洲的河网、河汊潮湿冲积低地，尤以江门市新会区分布最多，包括人工种植和自然生长的群系。蒲葵全株均可利用，有一定的经济价值。

2.3 草丛湿地植被型组

Ⅰ. 莎草型湿地植被型

(1)短叶茳芏群系：该群系主要分布在珠江口的广州、中山、东莞等地的河口、河道的沿岸滩涂，多呈块状分布，典型群落为南沙的万顷沙湿地。群落组成种类极为简单，优势种明显。由于短叶茳芏耐盐力强，根茎发达，无性繁殖力强，常成为先锋植物，因此，人们常利用这种植物种于泥滩上围堰造陆。

(2)茳芏群系：该群系广泛分布于全省的沿海河口。群系外貌呈波状起伏，植株一般高度5～30厘米，盖度20%～30%。组成种类简单，其中以茳芏、龙师草占优势，伴生种类有沟叶结缕草等。

(3)鳞籽莎群系：该群系主要分布于沿海一带的山地沟谷中。群落高度在1米以下，以多年生根茎植物鳞籽莎为主要优势种，常见的有刺子莞、飘拂草、葱草、求米草等。

(4)绿穗薹草群系：该群系主要分布于全省的沼泽、河心洲、河漫滩，其中以三水马岗草塘最具代表性。

Ⅱ. 禾草型湿地植被型

(1)芦苇群系：该群系主要分布在中山、珠海河口，以芦苇组成的草本及单优的植物群落为主。由于人为活动的影响，群落差异大。

(2)双穗雀稗群系：该群系主要分布在中山沿海一带，宽约300～500米，低潮时露出水面，成带状草滩。群系以双穗雀稗占绝对优势，高0.3米，盖度80%以上。

(3)卡开芦群系：该群系主要分布于广州南沙的河岸滩涂和围垦养殖塘的堤岸边。群系组成种类简单，优势种明显。

(4)李氏禾群系：该群系主要分布于全省各地河流两岸、河漫滩、河心洲，沿岸带状分布，成片分布或丛生，高度0.3～0.5米，盖度90%。群落以李氏禾为优势种类，伴生种类有水蓼、铺地黍、鸭跖草等。

(5)铺地黍群系：该群系广泛分布于全省的河流、沟渠、河道中，呈带状分布，群落高度约0.5米，盖度90%。群落伴生种类有箭叶蓼、喜旱莲子草、光头稗等。

(6)互花米草群系：该群系是外来入侵植物——互花米草组成的单优群系，常沿海堤呈带状分布，主要分布在珠海淇澳、江门镇海湾等地的淤泥质滩涂。

Ⅲ. 杂类草湿地植被型

(1)田葱群系：该群系分布于全省的丘陵谷地，所在地地表季节性或常年积水，土壤为腐殖质沼泽土。群落以多年生草本植物田葱为主要优势种。由于积水状况、土壤条件和沼泽发育阶段不同，伴生植物也有变化。常见的伴生种有水蜈蚣、木贼状荸荠等。

(2)水蓼群系：该群系全省广泛分布，生长在河流、运河/输水河两侧，库塘、水产养殖场周边以及洪泛平原湿地上，盖度达90%，高达50～70厘米，常见伴生植物有铺地黍、鸭跖草、酸模叶蓼等。

(3)宽叶泽薹草群系：该群系分布于粤北的山地沼泽中，种群已很稀少，常与睡莲、灯心草、曲轴黑三棱等混生。

2.4　浅水植物湿地植被型组

Ⅰ. 漂浮植被型

(1)喜旱莲子草群系：该群系广泛分布于全省的河流、河汊、库塘水边，丛生或成片生长，为常见的外来入侵植物，群落高度0.3~0.5米，盖度90%~100%。伴生种有鸭跖草、水蓼等。

(2)大薸群系：该群系广泛分布于本省的河流、河汊和池塘水面，成片生长。群落高度0.2米，盖度100%。主要伴生种是凤眼莲，常形成凤眼莲+大薸群落，或成丛散布于凤眼莲群落中。

(3)槐叶苹群系：该群系主要分布于全省的水稻田中，漂浮植物有槐叶苹、紫萍和无根萍等，在夏秋之间满布水稻田水面，使水稻下层的水面被盖。由于红萍的固氮能力强，繁殖快，对改良土壤有良好效果，同时又可用作饲料。

(4)浮萍群系：该群系广泛分布于全省的河流、池塘、沟渠、水稻田中，成片生长，常有紫萍伴生。

Ⅱ. 浮叶植物型

(1)睡莲群系：该群系分布于粤北南岭山地沼泽中，海拔900米以上，种群已很少，伴生种有铺地黍、曲轴黑三棱等。

(2)莼菜群系：该群系分布于粤北南岭山地沼泽中，常形成单优群落，覆盖整个水面，也可与睡莲混生，种群已很稀少。

(3)水皮莲群系：该群系分布于高要、三水、四会等县市的湖泊中。群系的盖度达90%，组成种类丰富，共有23种，植物成带分布现象较明显。

(4)凤眼莲群系：该群系广布于全省各地的池塘、水潭及河道中。群系主要由凤眼莲组成。凤眼莲为外来入侵物种，繁殖速度快。

(5)芡实群系：该群系主要分布于肇庆市鼎湖、四会，其种植的芡实名曰肇实，种植历史悠久。鼎湖区永安镇江溪村的芡实湿地是濒危水鸟水雉的栖息地。

(6)水龙群系：该群系广泛分布于全省的河流、池沼中，高度0.1米，伴生种有凤眼莲、鸭跖草等。

(7)莲群系：该群系主要分布于珠江三角洲，以广州市南沙区新垦地区最为典型，“新垦莲藕”驰名中外。群系外貌呈绿色，具有明显的季相变化，群系内通常只有莲1种植物。

Ⅲ. 沉水植物型

(1)竹叶眼子菜群系：该群系主要分布于粤北的仁化、英德、曲江、乳源等县的溪流中，群系组成种类比较简单。

(2)苦草群系：该群系广泛分布于全省河流、小溪、湖泊的水底，群落高度0.2米，盖度50%~100%。

(3)黑藻群系：该群系广泛分布于全省河流、小溪、湖泊的水底，在河底丛生或成片生长，高度0.5~0.7米，盖度达100%，伴生种有苦草、竹叶眼子菜等。

(4)金鱼藻群系：该群系分布于北江及其支流的河流中，常与竹叶眼子菜、苦草混生。

(5)穗花狐尾藻群系：该群系主要分布于珠江三角洲的河流、水道和废弃养殖场的水底，成片生长，盖度80%~100%。

(6)黄花狸藻群系：该群系主要分布在全省的静水池塘中，成片生长，盖度可达100%。

(7)菹草群系：该群系分布于全省的河流中，在河底丛生，高度约0.2米，伴生有苦草。

(8)无尾水筛群系：该群系零散分布于水流速度较慢的沟渠中，植株呈匍匐状生长于水面以下，高20~60厘米，常与水筛混生，偶尔出现黑藻、菹草等。

2.5 红树林湿地植被型组

红树林是指分布在热带与亚热带地区海岸潮间带滩涂上的木本植物群落。广东省是我国红树林分布面积最大的省份，主要分布在粤西沿海的湛江、阳江、茂名、江门等市。

广东红树林湿地植被型组包括白骨壤群系、桐花树群系、秋茄群系、角果木群系、海漆群系、老鼠簕群系、卤蕨群系、红海榄群系、木榄群系、无瓣海桑群系、拉关木群系、银叶树群系、海芒果群系以及黄槿群系等。

(1)白骨壤群系：该群系在广东省分布广、面积大，多生长于海滩前缘。主要分布于湛江、茂名、阳江、江门、深圳、惠州等市。湛江特呈岛有100年以上成熟林，高6~9米。群系外貌呈银灰色，一般高度1.5~2米，有些高达4~5米，地面长出大量指状呼吸根。群系结构简单，多为单层。

(2)桐花树群系：该群系多生长于淤泥较为硬实的靠岸地带。主要分布在湛江、阳江、江门、深圳、珠海、汕头、惠州等市。群系外貌呈黄绿色，树基部分枝多，一般高2~3米。

(3)秋茄群系：该群系多为茂密的高大灌丛，生长于淤泥较多的中低潮滩。主要分布在湛江、阳江、江门、深圳、珠海、惠州。群系外貌呈深绿色，一般高3~4米。

(4)海漆群系：该群系分布于整个湛江沿海红树林湿地的堤岸边高潮带，高潮水时可淹没，分布疏密不均，一般3~6米高，有伴生植物杨叶肖槿、黄槿、假茉莉、阔苞菊等。

(5)老鼠簕群系：该群系在广东省沿海地区均有分布。老鼠簕喜欢在红树林湿地的外缘或红树林遭破坏后的迹地、阳光充足处迅速发展。有时散生，有时成片生长。高度一般在0.8~1.6米之间。

(6)卤蕨群系：该群系卤蕨一般散生在红树林湿地的边缘或高潮线近堤岸边，或内陆河出海口处，或遭人为围垦的滩涂鱼塘或水沟内，也有成片或成条状生长分布的，高度一般在0.8~1.5米之间，群系外貌灰褐色，叶上常密布孢子。主要分布在深圳、珠海、江门、阳江、汕尾、惠州、汕头等地。

(7)红海榄群系：该群系主要分布在湛江地区。在湛江高桥的深厚淤质泥滩涂上，从中外滩至海岸堤围之间的数公里宽海滩上分布着壮观的红海榄纯林，树高3~6米，盖度85%~95%。红海榄的拱形支柱根非常发达，1株有数拾至数百条支柱根，纵横交错。群系外貌深绿，面积有近400公顷。近堤围散生一些桐花树和木榄。此外，在惠东县的盐洲湾也分布有小片红海榄群落。

(8)木榄群系：该群系主要分布在湛江高桥地势比较高的地方，有大片的木榄群落。该群落发展已到成熟阶段，树龄较老，林冠浓密、深绿、整齐，盖度80%~90%，树高3.5~6.5米，胸径10~20厘米；林下膝状根发达、茎基板根明显。群落中木榄占绝对优势，偶有红海榄或秋茄出现。阳江的平岗、惠东的盐洲湾亦有少量分布。

(9)角果木群系：该群系仅分布于徐闻县的流沙港，群系单纯，呈黄绿色，结构简单，多为单层。

(10)无瓣海桑群系：该群系自1993年从海南岛东寨港引种海桑科的无瓣海桑到湛江和深圳

福田红树林保护区，现在全省在红树林造林中已广泛应用该树种。面积较大的有珠海淇澳、电白、汕头等地。该树种生长迅速，在早年引种的地区，现已成乔木林并自然繁殖后代。覆盖度达90%，树高7～10米，胸径10～15厘米，林下滩地伸出无数指状呼吸根，整个群落外貌呈淡绿色。

(11)拉关木群系：该群系该树种耐盐、速生。主要分布于茂名电白水东湾，为2004年由中国林业科学研究院热带林业研究所引进栽植。群落呈单层结构，郁闭度达0.9，树高8～12米，胸径10～16厘米。

(12)银叶树群系：银叶树为半红树乔木植物。分布在深圳市龙岗区葵涌坝光村的古银叶树林是目前我国大陆发现的林龄最大的银叶树群落，群落面积约为1.5公顷。其中超过500年树龄的银叶树有1株，百年以上的银叶树有27株。整个银叶树林林相完整，树冠浓密整齐，植株高大，一般12～19米高，最高可达20米，树干挺直，胸径80厘米以上，最大的达到130厘米，板根特别发达，最大的板根高约2米。现已建立自然保护小区。

(13)海芒果群系：海芒果为半红树乔木植物，生长在红树林湿地高潮线以上的堤岸上，常呈带状或丛状生长。树高4～8米，胸径5～10厘米；群落外貌呈黄绿色，叶大型；果实圆形，幼时绿色，成熟时橙红或橙黄色，有剧毒。该群落主要分布在湛江、阳江、珠海、深圳、江门、汕尾、惠州等市。

(14)黄槿群系：黄槿为半红树乔木植物，广东省沿海多有分布，生长在沿海近堤岸的高潮线上。树冠外貌呈灰绿色，胸径通常5～10厘米，高4～8米，呈带状或零星分布。常伴生有水黄皮、假茉莉、钝叶臭黄荆等。

广东红树林湿地植被型组的特点是，树种比较单纯，外貌简单，为灌木或乔木林。属于真红树植物的有14种，半红树植物9种，伴生植物24种。本省红树林植物的优势种为白骨壤、桐花树、秋茄、红海榄和木榄，均有纯林。其中，以白骨壤纯林较多，其次为桐花树，其余均以混生群落居多。

在植物群落的演替上，不同群落占据着不同梯度的海滩，形成不同的景观。如白骨壤群落为最早形成(先锋)的群落，多分布于由陆向海红树林生长区的中、外滩；其次为桐花树群落，多分布于由陆向海有红树林分布的中、外滩；再次为秋茄、红海榄、木榄群落，分布于中、内滩。此外，在最高潮水线附近的陆地边缘，分布有半红树植物和伴生植物，如银叶树、黄槿、海芒果、水黄皮、假茉莉、盐地鼠尾粟等，常与其他红树林群落一起构成一道绿色的海岸屏障。

第二节 湿地动物

1 湿地野生动物种类与特点

1.1 湿地野生动物种类组成

湿地动物在分类学上是一个很广泛的类群，包括脊椎动物和无脊椎动物。脊椎动物主要包括鱼类、两栖类、爬行类、鸟类和兽类。其中，鸟类、鱼类是湿地动物的主要类群。鸟类利用湿地作为觅食地、繁殖地及越冬地，是湿地生态环境的指示性物种。

广东湿地野生动物种类有鱼类22目86科467种，两栖类2目9科32种，爬行类2目6科37种，水鸟13目23科155种，兽类4目4科11种。此外，还有许多昆虫、底栖动物、浮游动物等。

1.2 湿地野生动物资源特点

(1)水鸟资源丰富：广东省位于东北亚—澳大利亚候鸟迁飞路线上，鸻形目和鸥形目鸟类种类多、数量庞大，沿海地区是这些迁徙鸟类的“加油站”和停歇点。据调查统计，广东省有水鸟23科155种，分别占全国水鸟科数、种数(32科、271种)的71.9%和57.2%。

(2)珍稀及保护物种数量多：广东省有58种湿地鸟类被列入国家和广东省重点保护鸟类名单中，占所有湿地鸟类的33%。在广东湿地32种两栖动物中，有3种是国家Ⅱ级保护动物。湿地爬行动物中，有9种被列为国家和广东省重点保护动物。广东省湿地哺乳类11个物种中，有4种被列入国家重点保护名录。其中，中华白海豚在全国主要分布于广东省沿海。

(3)河流湿地鱼类资源丰富，有许多特有种：广东省河流鱼类有唐鱼属和近腹吸鳅属两个特有属，有15个特有种，分别为唐鱼、嘉积小鳔鮈、稀有条鳅、钝吻拟平鳅、信宜原缨口鳅、少鳞缨口鳅、东坡拟腹吸鳅、密斑拟腹吸鳅、麦氏拟腹吸鳅、练江拟腹吸鳅、宽头拟腹吸鳅、三线拟鲿、海丰沙塘鳢、大鳞鳍虾虎鱼、白线纹胸鮡。

(4)大型底栖动物丰富：沿海各区段种类组成、生物量各不相同，其中许多种类具有重要经济价值。

1.3 常见湿地动物种类

水鸟是滩涂湿地野生动物中最具代表性的类群，是湿地生态系统的重要组成部分。广东省湿地常见水鸟有鸊鷉科小鸊鷉，鸬鹚科普通鸬鹚，鹭科绿鹭、池鹭、大白鹭、小白鹭、中白鹭、夜鹭，鸭科斑嘴鸭、绿头鸭，翠鸟科普通翠鸟，秧鸡科骨顶鸡、白胸苦恶鸟、黑水鸡，鹬科黑尾塍鹬、斑尾塍鹬、黑腹滨鹬，反嘴鹬科黑翅长脚鹬，鸻科环颈鸻，鸥科红嘴鸥、黑嘴鸥、银鸥、普通燕鸥等。

广东省鱼类资源丰富，常见的淡水鱼类有青鱼、草鱼、鲢鱼、鳙鱼、鲤鱼、鲫鱼、鳊鱼、鳜鱼、鲮鱼、鲶鱼等，以及黄颡鱼、长吻鮠、黄鳝、乌鳢、泥鳅、鳡鱼等经过人类引种驯化养殖的野生鱼类。常见的海洋鱼类有鳓鱼、棘头梅童、印度白姑鱼、截尾白姑鱼、黄鲫、鲻、真鲷、带鱼等。

广东省常见的两栖动物有黑眶蟾蜍、黑斑蛙、泽蛙等，常见的湿地爬行动物有中华鳖、乌龟、中国水蛇等，常见的湿地哺乳动物有黄腹鼬、水鹿等，这些物种分布较广，数量较多。

1.4 珍稀濒危湿地动物

广东省湿地鱼类中，国家Ⅰ级保护野生动物有中华鲟1种；国家Ⅱ级保护野生动物有唐鱼、花鳗鲡、黄唇鱼等3种。

湿地两栖类中，大鲵、细痣疣螈和虎纹蛙是国家Ⅱ级保护动物；黑斑侧褶蛙、沼水蛙和棘胸蛙是广东省重点保护动物。

湿地爬行类中，鼋是国家Ⅰ级保护动物；山瑞鳖、绿海龟、棱皮龟、玳瑁、三线闭壳龟是国家Ⅱ级保护动物；平胸龟、黄额闭壳龟、锯缘箱龟是广东省重点保护动物。

湿地水鸟中，有国家Ⅰ级保护鸟类3种，即东方白鹳、黑鹳和中华秋沙鸭；被列入国家Ⅱ级保护鸟类的有18种，为斑嘴鹈鹕、卷羽鹈鹕、海鸬鹚、白腹军舰鸟、黄嘴白鹭、岩鹭、海南鳽、彩鹳、黑头白鹮、彩鹮、白琵鹭、黑脸琵鹭、小青脚鹬、小杓鹬、灰鹤、花田鸡、小天鹅、鸳鸯；被列入广东省重点保护名录的有37种。

湿地哺乳类中，国家Ⅰ级保护野生动物有中华白海豚1种；国家Ⅱ级保护野生动物有水獭、小爪水獭、水鹿等3种。

2　无脊椎动物

2.1　种类与分布

广东省临近南海，海岸线绵长，河流广布，河口众多，水热条件丰富，优越的自然地理条件适合各种湿地无脊椎动物繁衍生息。广东湿地无脊椎动物种类繁多，包括软体动物门、节肢动物门、棘皮动物门和腔肠动物门，主要分布于沿海河口、滩涂、红树林以及潮间带。由于技术和时间的限制，本次全省湿地资源调查主要对各重点调查湿地尤其是红树林内占优势的贝类、虾类、蟹类进行调查，调查采用收集资料的方式进行。

(1)贝类：软体动物是沿海滩涂和红树林中种类最多的动物类群，主要包括腹足类和双壳类。据资料统计，广东省沿海有贝类2纲10目37科129种。可分为树栖和底栖两类。树栖贝类栖息高度一般不超过距地表2米高处，其优势种有黑口滨螺、波纹滨螺、难解不等蛤、近江牡蛎、石磺、鼬耳螺、中华大耳螺、黑荞麦蛤等。底栖类以珠带拟蟹守螺、中国绿螂、齿纹双带蛤等种群占优势。湛江雷州半岛红树林区有贝类109种，其中双壳类6目21科64种，腹足类4目15科45种。珠海淇澳红树林有贝类8目14科45种，其中腹足类3目13科21种，双壳类5目11科25种。

(2)虾蟹类：沿海潮间带滩涂和红树林中有大量的大型虾类、蟹类生活，它们是沿海底栖动物中较大的类群。广东省沿海红树林和潮间带有虾类27种，以鼓虾科、对虾科、长臂虾科和泥虾科种类为主。蟹类种类更多，据统计常见的有41种，主要有沙蟹科的各种招潮蟹、方蟹科多种，其他如梭子蟹科、寄居蟹科种类也很常见。

2.2　经济种类利用情况

贝类、虾类、蟹类是极为重要的经济动物资源。广东沿海具有较高经济价值和可以开发利用的贝类主要有泥蚶、翡翠贻贝、麦氏偏顶蛤、寻氏肌蛤、近江牡蛎、长牡蛎、长圆蛤、红树蚬、四角蛤蜊、缢蛏、文蛤、青蛤、环沟格特蛤、菲律宾蛤仔、丝纹镜蛤、等边浅蛤、中国绿螂、大瓶螺、石磺等。其中泥蚶、寻氏肌蛤、近江牡蛎、长牡蛎、缢蛏、文蛤、青蛤、菲律宾蛤仔、石磺等9种在国内均已开展人工养殖。各种虾蟹类是沿海地区发展最快、养殖规模最大的人工养殖水产种类，经济效益突出。

3 鱼 类

3.1 种类与分布

鱼类是湿地动物的主要类群，与人类的经济、生活密切相关。广东省位于南海沿岸，珠江出海口，境内河流众多、水网密布，鱼类资源非常丰富。

据资料统计，广东省有湿地鱼类467种，分隶于2纲22目86科242属。其中鲈形目种类最多，达180种，占本区总数的39.3%，绝大部分为海洋鱼类，具较高的经济价值；鲤形目次之，有150种，占总数的31.7%，均为淡水鱼类，大多数具一定的经济价值；鲉形目占第三，有32种，占硬骨鱼纲总数的6.8%；鲀形目、鲽形目、鳗鲡目、鲱形目、鲶形目等种类也不少。

广东省湿地鱼类可分浅海海域湿地鱼类、河口鱼类、河流鱼类、水库鱼类等四大类群。

3.1.1 浅海海域湿地鱼类

浅海海域湿地是指低潮时水深6米以内的浅海水域及其沿岸海水浸湿地带。根据中国水产科学研究院南海水产研究所余勉余等(1990)于20世纪80年代的调查结果，广东省沿海水深10米以内浅海栖息分布的鱼类有211种，隶属于54科122属。其中，粤东海岸带浅海鱼类143种，隶属54科94属。优势种类主要有鹿斑鲾、印度白姑鱼、截尾白姑鱼、带鱼、花斑蛇鲻、大头白姑鱼等。珠江口岸段浅海鱼类68种，分属30科49属，优势种有皮氏叫姑鱼、钝孔虾虎鱼、棘头梅童、线纹舌鳎、孔虾虎鱼、狼牙虾虎鱼、四线天竺鲷和六指马鲅等；粤西海岸带鱼类，在博贺湾内湾浅海有25种，隶属于4目19科24属。

3.1.2 河口鱼类

广东省境内河口海湾较多，鱼类资源丰富，暖水性种类较多，反映出明显的南亚热带特征。由于河口海湾地处陆河出口与海域的交汇之处，淡水与咸水在此混合，水体含盐量介于淡水与海水之间，有机物质含量高、饵料生物丰富，形成了极具特色的河口鱼类。

珠江口水域鱼类种类繁多、数量丰富，第一类为溯河性种类，此类鱼可进入淡水，甚至可达江河中上游，如赤魟、花鰶、鲥、七丝鲚、中华海鲶、三线舌鳎等；第二类为咸淡水鱼类，分布于河口、内海附近，有时可进入淡水，占本海区鱼类的大部分；第三类为沿海性鱼类，季节性或偶然进入本海区南部盐度较高地区，不靠近河口。河口鱼类中的黄唇鱼、鳗鲡、广东鲂、黄鳍鲷等，为珠江河口的名贵鱼类。其中，中华鲟为国家Ⅰ级保护动物，黄唇鱼和花鳗鲡为国家Ⅱ级保护动物。

3.1.3 河流鱼类

广东河流鱼类以鲤科鱼类为主，在鲤科中又以鲃亚科、野鲮亚科、鲌亚科、鮈亚科和腹吸鳅科占的比例大(达72种，占淡水鱼类总数40.4%)。这说明广东有河流鱼类属东亚淡水鱼区系，并且具有一定的暖水性特点。广东省境内河流中有淡水鱼类178种，其中鲤形目约占71%，鲇形目占9.6%。

3.1.4 水库鱼类

广东省水库水产养殖主要以经济鱼类为主。如新丰江水库是华南地区最大的水库，有鱼类6目12科35种。库区名贵的鱼类——鳜鱼(桂鱼)，年捕捞量可达15~25吨。新丰江水库目前已设有4～5个渔业资源保护区，主要保护鳜鱼(桂鱼)、斑鳠、鲶鱼等自然繁殖。枫树坝水库的鲤科鱼类是该水域中种类最多、群体最大的鱼类类群。其鲤科鱼类共有56种，占总体类数的55%。

3.2　经济种类利用情况

广东省水产资源丰富，渔业比较发达。2008年广东省海洋捕捞产量为172.05万吨，淡水捕捞产量13.02万吨，海水养殖产量225.91万吨，淡水养殖284.25万吨。本省所处的南海区鱼类组成繁多，具有捕捞价值的鱼类达100多种。南海区渔业资源组成以底层鱼类为主，占总渔获量的50%，主要种类包括多齿蛇鲻、狗母鱼、长蛇鲻、海鳗、长尾大眼鲷、银方头鱼、高体若鲹、二长棘鲷、绯鲤等；中上层鱼类占总渔获量的18.3%，包括各种小公鱼、金色小沙丁鱼、圆腹鲱、蓝圆鲹、鲐、竹荚鱼等。内陆水域主要经济鱼类有40多种，名贵珍稀鱼类有16种，其中卷口鱼、斑鳠、鲈鱼、鳜鱼是珠江四大名贵河鲜。

4　两栖类

4.1　种类与分布

广东湿地动物共有两栖类2目9科32种，主要分布在山区溪流或森林林下和农田、草地中。其中，大鲵、虎纹蛙是国家Ⅱ级保护动物；黑斑蛙、沼水蛙和棘胸蛙是广东省重点保护动物。

4.2　经济种类利用情况

广东省食用蛙主要种类有沼水蛙、黑斑蛙、虎纹蛙和棘胸蛙等。沼水蛙繁殖快，适应性强，野外水塘、鱼塘及溪河都有分布。虎纹蛙和沼水蛙是人工养殖的主要种类。另外，广东湿地两栖动物中数量最多的黑眶蟾蜍，具有一定药用价值，可入中成药，有较大的开发潜力。

5　爬行类

5.1　种类与分布

广东省湿地爬行动物有37种，占全省爬行动物种类的30.8%，其中龟鳖目4科15种；蛇目2科22种。龟鳖目以水生生活为主，全部为湿地动物。蛇目中仅游蛇科的水蛇类，如黑斑水蛇、中国水蛇、铅色水蛇、渔游蛇等在水中生活；海蛇科的种类基本在海中生活，如环纹海蛇、小头海蛇等，可以归入湿地爬行动物的范畴。在广东省湿地爬行动物中，鼋是国家Ⅰ级保护动物；山瑞鳖、绿海龟、棱皮龟、玳瑁、三线闭壳龟是国家Ⅱ级保护动物；平胸龟、黄额闭壳龟、锯缘箱龟是广东省重点保护动物。其中绿海龟属龟鳖目，体长1～1.3米，体重大于100公斤。已于1992年建立了惠东港口海龟国家级自然保护区，总面积1400公顷。

5.2　经济种类利用情况

广东省湿地爬行动物经济价值较高的有平胸龟、乌龟、眼斑水龟、黄喉拟水龟、四眼斑水龟、中华花龟、中华鳖等。蛇类经济价值较高的主要有王锦蛇、海蛇类等。另外，属于国家Ⅰ级、

Ⅱ级保护的爬行动物，经济价值都很高，如国家重点保护的有鼋、三线闭壳龟、山瑞鳖、玳瑁、棱皮龟等。

6 湿地鸟类

6.1 种类与分布

6.1.1 种类组成

广东省湿地鸟类根据《全国湿地资源调查技术规程(试行)》中所列的中国主要水鸟名录进行统计。根据本次调查结果和有关资料，广东省湿地鸟类共23科155种(表3-4)，主要由鹭科、鹬科、鸭科和鸥科鸟类组成。其中，鹭科18种，占鸟类总数的11.6%；鹬科35种，占鸟类总数的22.6%；鸭科29种，占鸟类总数的18.7%；鸥科20种，占鸟类总数的12.9%。这4个科的鸟类种数合计，占广东省湿地鸟类总种数的65.8%(表3-4)。

表3-4 广东省湿地鸟类各科种数统计

中文科名	拉丁科名	种数	中文科名	拉丁科名	种数
潜鸟科	Gaviidae	1	雉鸻科	Jacanidae	1
䴙䴘科	Podicipedidae	3	彩鹬科	Rostratulidae	1
海燕科	Hydrobatdae	1	蛎鹬科	Haematopodidae	1
鹈鹕科	Pelecanidae	2	鸻科	Charadriidae	9
鸬鹚科	Phalacrocoracidae	2	鹬科	Scolopacidae	35
军舰鸟科	Fregatidae	3	反嘴鹬科	Recurvirostridae	2
鹭科	Ardeidae	18	瓣蹼鹬科	Phalaropodidae	1
鹳科	Ciconiidae	3	燕鸻科	Glareolidae	1
鹮科	Threskiornithidae	4	贼鸥科	Stercorariidae	1
鸭科	Anatidae	29	鸥科	Laridae	20
鹤科	Gruidae	1	翠鸟科	Alcedinidae	5
秧鸡科	Rallidae	11	合 计		155

6.1.2 保护种类

广东省共有58种湿地鸟类被列入国家和省重点保护鸟类名单中，占所有湿地鸟类的33%。其中，国家Ⅰ级保护鸟类3种，即东方白鹳、黑鹳和中华秋沙鸭；被列入国家Ⅱ级保护的鸟类有18种；被列入广东省重点保护名录的有37种。

在IUCN物种保护目录中，广东省湿地鸟类中被列为极危种有海南虎斑鳽和黑脸琵鹭等2种；被列为濒危种的有黄嘴白鹭、东方白鹳、小青脚鹬和黑嘴鸥4种；被列为易危种的有斑嘴鹈鹕、卷羽鹈鹕、白腹军舰鸟和中华秋沙鸭4种；被列为低危种的有彩鹳、黑头白鹮和鸳鸯3种。

6.1.3 鸟类的居留型

从广东省湿地鸟类的留居型分析，湿地生境中的鸟类主要是冬候鸟，主要类群为鸭类、鸻鹬类和鸥类。广东省湿地共有冬候鸟 96 种，占整个鸟类的 61.9%；加上 10 种旅鸟，17 种夏候鸟，1 种过境鸟，共有迁徙鸟类 124 种，占整个湿地鸟类种数的 80%。广东省湿地留鸟主要是鹭科、秧鸡科和翠鸟科等，共 30 种，占整个鸟类组成的 19.4%。

6.1.4 迁徙特点

广东省位于东北亚候鸟迁飞路线上的东部候鸟迁徙区。每年秋季，候鸟从西伯利亚、中国的东北、韩国、日本等地迁往南方时在广东越冬，也有一些种类途经广东继续南迁到澳大利亚或东南亚越冬；每年春季，从南方飞来的候鸟途经广东到北方的繁殖地繁殖，广东沿海湿地成为这些候鸟的重要迁徙通道、"加油站"及中转点。这些南北迁徙的鸟类中，有 98 种被列入《中日候鸟保护协定名录》中，其数量占广东湿地水鸟的 63.2%；有 54 种被列入《中澳候鸟保护协定名录》，其数量占广东湿地水鸟的 34.8%。因此，保护广东湿地对候鸟保护具有重要的国际意义。

6.2 湿地鸟类的数量

广东省湿地鸟类数量最多的是鹭科鸟类和鸻形目、鸥形目、雁形目，其次为秧鸡科和翠鸟科种类。鸻形目、鸥形目、雁形目大多是冬候鸟，一般在冬季数量最多。据广东湛江红树林国家级自然保护区高桥站 2008 ~2009 年度湿地鸟类监测资料，数量最多的鸻形目有 2000 ~3000 只，其次是鸥形目，有 700 ~800 只，雁形目约 100 只。

此外，南澳候鸟省级自然保护区有褐翅燕鸥约 2 万只。海丰鸟类省级自然保护区曾记录到卷羽鹈鹕 22 只，凤头鸊鷉最多时记录到有 300 多只。

6.3 栖息地及其保护

在广东省沿海湿地中，内伶仃—福田国家级自然保护区、湛江红树林国家级自然保护区、珠海淇澳—担杆岛省级自然保护区、惠东红树林自然保护区、海丰鸟类自然保护区、汕头海岸自然保护区等是鹭科、鸻形目、雁形目和鸥形目鸟类的重要分布区，代表了广东湿地鸟类的基本情况，是今后重点保护及监测的地区。南澳候鸟自然保护区是鸥形目鸟类的主要分布区。珠江口是雁形目、鸥形目鸟类的主要分布区。广州黄埔茅岗、顺德生态园、九江璜矶、雷州客路、新会小鸟天堂等是鹭科鸟类的重要分布区。珠江三角洲及粤东、粤西沿海的水稻田也是鹭科、秧鸡科和翠鸟科鸟类的重要分布区。

7 哺乳类

广东湿地哺乳类动物有 4 目 4 科 11 种，其中啮齿目动物种类最多，共记录到 6 种；其次是食肉目兽类，共记录到 3 种。鲸目中的中华白海豚是典型的湿地兽类。中华白海豚在珠江口的万山群岛、桂山岛及内伶仃岛、崖门口的黄茅、阳江、珠海等沿海水域经常出没。

另据调查，广东湿地有经济价值的兽类主要有水獭、江獭、小爪水獭、水鹿等。

第四章 湿地资源利用

第一节 湿地资源利用方式及其利用现状

1　湿地资源概况

湿地是重要的国土资源和自然资源，具有多种功能。根据全国第二次湿地资源调查广东省调查成果，广东省湿地资源主要包括土地资源、水资源、生物资源、景观资源、能源资源和矿产资源等，在广东省国民经济建设和社会可持续发展中发挥着巨大的生态、经济和社会效益。

1.1　土地资源

湿地土地资源是一项宝贵的后备土地资源。广东省共有湿地面积175.34万公顷，其中有利用价值的土地资源主要包括如下类型：

(1)近海与海岸湿地。本次调查广东省湿地中有近海与海岸湿地81.51万公顷，占全省湿地面积的46.49%。而其中浅海水域面积为51.84万公顷，占近海与海岸湿地的63.60%。这部分海域的湿地资源非常重要，是广东省渔业捕捞和水产养殖的重要场所。据调查统计，广东省近海与海岸湿地中有围垦海岸滩涂的鱼塘、虾围等水产养殖湿地4.01万公顷，主要分布在粤东、粤西和珠江口。通过引进良种养殖，形成了连片的鱼鳞状或网络状海岸基塘景观。

广东省沿海滩涂面积广阔，海岸滩涂资源十分丰富，土地资源的开发利用潜力较大。据调查统计，广东省沿海可围垦滩涂总面积为20.43万公顷，其中珠江口岸段5.05万公顷，占24.7%；粤东岸段1.57万公顷，占7.7%。沿海滩涂中适宜于农业围垦和水产养殖的海涂占90%以上，并且这类海涂分布连片集中，面积较大，发育较快。如珠江口岸线每年向海推进70~150米，年淤积厚度约2米。其中，伶仃洋西侧海涂百年来每年平均向海延伸1.5平方公里左右，是发展农业、渔业宝贵的后备土地资源。

红树林湿地是一种分布在河口海湾的重要土地资源。据本次调查统计，广东省有红树林湿地1.98万公顷，在广东沿海均有分布，绝大部分分布在粤西。其中，湛江和雷州半岛有红树林湿地1.43万公顷；珠江口地区有1518.65公顷；粤东地区也有零星分布。红树林湿地为水鸟提供栖息、觅食场所，为鱼、虾、蟹、贝提供繁殖地。

(2)洪泛平原湿地。广东的洪泛平原湿地主要分布在珠江三角洲和各大河流中，面积为1.72万公顷。以珠江三角洲分布最广、面积范围最大；其次是韩江三角洲、鉴江三角洲等，是非常重要的农业、水产甚至是城市发展的土地资源。其中，番禺的万顷沙、中山的茂丰围、珠海的白藤湖、斗门的平沙农场、新会的崖南垦区、汕头牛田洋等，早已开发为乡村或农耕区。

此外，广东省还有水稻田105.50万公顷，蕴含着巨大的土地生产潜力。

1.2　水资源

广东省湿地水资源包括河流、湖泊和水库的淡水资源，河口海岸区的咸淡水资源以及浅海区的咸水资源。

(1)淡水资源。湿地的淡水资源是广东工业、农业用水和人们重要的饮用水源。广东省境内河网密布、纵横交错，淡水资源相当丰富。其中，以珠江流域(东江、西江、北江和珠江三角洲)及独流入海的韩江流域和粤东沿海、粤西沿海诸河为主，流域面积占全省面积的99.81%。其余属于长江流域的鄱阳湖和洞庭湖水系。据统计，全省共有大小河流1314条，总长25290公里，平均每100平方公里有河流11公里。集水面积在100平方公里以上的干支流有542条，集水面积在1000平方公里以上的干支流有62条，独流入海的河流有52条，较大的河流有韩江、榕江、漠阳江、鉴江、九洲江等。广东省河流湿地淡水资源的特点是涨水期长达半年；流量变化大，丰水期的流量是枯水期流量的5~7倍。

广东省有水库6800多座，总库容达到418.5亿立方米。其中，大型水库33座，库容280.5亿立方米；中型水库284座，库容80.4亿立方米；小型水库6500多座，库容约57.6亿立方米。

广东省多年平均水资源总量为1830亿立方米，其中地表水资源量1820亿立方米，地下水资源量450亿立方米，地表水与地下水重复计算量440亿立方米。平均每平方公里年产水量103万立方米，是我国淡水资源蕴藏量最丰富的省份之一。除本省的产水量外，还有来自珠江、韩江等上游的入境水量，平均每年有2361亿立方米。

广东省淡水资源总量相对丰富，但同时也存在地区分布不均匀；水资源年际、年内变化明显；水资源人均占有量低、区域差异大；水土资源分配不平衡；部分水域水质污染严重，正形成水质型缺水等问题。

(2)咸水资源。广东省南临南海，大陆海岸线长4114.3公里，居全国第一。海域东起台湾浅滩南部，西至北部湾东部，南至北纬18°纬度线和琼州海峡中线，全省海域总面积41.9万平方公里。其中，水深200米以内的大陆架海洋面积约17万平方公里。入海河流河口海岸区的咸淡水资源以及浅海区的咸水资源丰富，咸水资源主要用于沿海水产养殖场、晒盐池及其他工业生产。

1.3　生物资源

湿地生物资源是湿地自然资源的重要组成部分，湿地生物资源主要包括湿地植物资源和湿地动物资源。

(1)湿地植物资源。广东省湿地植物资源丰富。全省有湿地植物623种，分属于93科253属。其中，苔藓植物3科3属3种；蕨类植物9科9属15种；裸子植物1科3属4种；被子植物80科

238 属 601 种(被子植物中，双子叶植物 58 科 131 属 276 种，单子叶植物 22 科 107 属 325 种)。湿地植物中有国家重点保护植物 8 种。其中，水松、水杉是国家Ⅰ级保护植物；水蕨、桫椤、黑桫椤、莲、野生稻(药用、普通)等为国家Ⅱ级保护植物。

(2)湿地动物资源。广东省湿地动物有鱼类 22 目 86 科 242 属 467 种；两栖类 2 目 9 科 32 种；爬行类 2 目 6 科 37 种；鸟类 13 目 23 科 155 种；哺乳类 4 目 4 科 11 种。此外还有许多昆虫、底栖动物、浮游动物等。广东省湿地动物中有 58 种鸟类被列入国家和广东省重点保护鸟类名录，占所有湿地鸟类的 33%。其中，国家Ⅰ级保护鸟类有 3 种，即东方白鹳、黑鹳和中华秋沙鸭；列入国家Ⅱ级保护的 18 种，列入广东省重点保护名录的有 37 种。另外，两栖动物中有 3 种是国家Ⅱ级保护动物；爬行动物中有 9 种被列为国家和广东省重点保护名录；哺乳类中有 4 种被列入国家重点保护名录。其中，中华白海豚在全国范围内主要分布于广东省沿海。

1.4 景观资源

广东省湿地类型多，湿地景观资源丰富。全省湿地类型有 5 大类 21 型(不包括水稻田，下同)，占全国湿地类型的 62%。如，沿海有岩石性海岸、沙石海滩、红树林、河口水域、潮间盐水沼泽等湿地类型；内陆有湖泊、水库、河流和人工水渠等湿地类型。多样的湿地类型造就了广东省丰富的湿地景观。如，沿海有典型的潮间带滩涂湿地风光、沙石海滩、岩石海岸、岛屿、河口等自然景观和红树林等植物群落景观；内陆有湖泊、河流河岸、三角洲水乡景观、水库自然景观以及河湖沿岸丰厚的人文景观等。

依托特色湿地景观资源，广东省已批准建设湿地公园 4 处。其中，国家湿地公园 1 处，即肇庆星湖国家湿地公园；省级湿地公园 3 处，即珠海市斗门黄杨河华发水郡省级湿地公园、茂名大洲岛省级湿地公园和湛江湖光红树林省级湿地公园。湿地公园总面积 2043.09 公顷，其中，湿地面积 1441.22 公顷。正在报批的国家湿地公园有 4 个，即九龙山国家湿地公园、南水湖湿地公园、南雄孔江国家湿地地公园和河源万绿湖国家湿地公园。另外，沿海还建设有大中型海水浴场多处，如惠东巽寮湾、阳江海陵岛大角湾、湛江东海岛飞龙滩等。

1.5 能源资源

广东省湿地能源资源主要包括淡水能源资源和海洋能源资源两大类。

(1)淡水能源。广东省共有大小水库 6800 多座，大小河流近 2000 条，蕴藏着丰富的水力资源。据调查，广东省河流水力资源理论蕴藏量为 724.1 万千瓦。其中北江流域 249.6 万千瓦，西江流域 118.27 万千瓦，东江流域 121.97 万千瓦，韩江流域 110.03 万千瓦，粤东沿海诸河 49.12 万千瓦，粤西沿海诸河 74.92 万千瓦。理论蕴藏量最大的是北江流域，占全省理论蕴藏量的 34.5%；其次为东江、西江、韩江、粤西沿海诸河和粤东沿海诸河。预计全省可开发水力资源总装机容量为 580.29 万千瓦，占理论蕴藏量的 80%，年发电量达 215.79 亿千瓦时。全省可能修建的大中型水电站 1261 座。其中，单站装机容量 1 万千瓦以上的水电站 98 座，总装机容量 390.71 万千瓦，年发电量可达 144.94 亿度，占可开发量的 67.2%。

(2)海洋能源。海洋中蕴藏着动力能(机械能)、热能和化学能。海洋动力能包括风能、潮汐能、潮流、海流、波浪等方面的能量；海洋热能指海洋表层高温水与深层低温水之间的温差所蕴含的热交换能量；海水化学能系指河口淡水与海洋高盐水之间的含盐量浓度差所产生的能量。目前，广东省能够利用的海洋能源主要是风能和潮汐能。广东省海岸线长，开发海洋风能、潮汐能发电具有巨大潜力。可开发利用地区主要分布在粤东、粤西沿海，如粤东沿海的惠来、陆丰、海丰、惠阳等地；粤西沿海的台山、阳江、电白、湛江、遂溪等地。

1.6 矿产资源

(1)海滨矿产。广东湿地的矿产资源非常丰富，种类繁多。粤东沿海从饶平至陆丰沿岸，基底为燕山三期、四期花岗岩。受长期的地质构造活动及地貌侵蚀作用，形成了不同类型的砂矿物，主要是锆英石、钛铁矿、独居石、金红石和锡石。陆丰县的锆英石矿属中型矿，品位已达工业要求，有开采价值。粤中沿岸以锡矿砂、铌钽矿为主，其次为锆英石、独居石、钛铁矿等，在海丰、新会、台山等地较富集；中山滨海的铌钽矿达到工业开采要求。粤西沿岸的独居石、磷钇矿较多，伴有锆英石、金红石、锐钛矿等，形成了大中型矿床，是滨海稀土矿床的主要基地。雷州半岛沿岸沙堤、砂滩沉积物中小型的石英—独居石矿床、锆英矿—独居石矿床及大型的钛铁石—金红石砂矿床等。此外，在粤北的山地草本沼泽地下缊藏着优质、高产的大型铅锌矿、硫铁矿、铀矿、钨矿、煤矿等。目前，广东已探明有滨海砂矿约 4.7 亿立方米、飞砂矿固体矿约 2167.3 万吨。

(2)油气资源。广东省南海海域大陆架蕴藏有丰富的油气资源，已为油气勘探和开发的实践所证实。南海大陆架已知的含油气盆地有 10 多个。在南海北部有珠江口盆地、北部湾盆地和台湾浅滩南盆地(台湾西南盆地)。珠江口盆地位于南海北部大陆架中部，面积约 15 万平方公里。据有关部门估计，珠江口盆地石油地质远景储量为 20 亿 ~ 90 亿吨。北部湾盆地是中、新生代沉积盆地，面积 3.5 万平方公里，据估测，北部湾盆地石油地质远景储量为 6 亿吨。

2 湿地资源利用方式及利用现状

2.1 土地资源

作为湿地的载体，湿地土地资源的开发利用方式决定了湿地的可持续发展潜力。近年广东省湿地土地资源的开发利用主要集中于近海与海岸湿地，特别是沿海滩涂。围垦后多用于发展海水养殖、城市建设等，如深圳黄田机场、珠海机场、深圳盐田港、妈湾港等均是低积平原或滩涂围垦建设而成。据不完全统计，近 20 年来，珠江口两岸滩涂围垦面积达 2.1 万公顷；粤东地区围垦面积达 2.4 万多公顷；粤西较少，但也达 1.4 万多公顷。目前全省沿海城市的多处海岸湿地已被征为建设用地，如广州南沙、珠海、深圳等地均有围海造地的情况。珠海市现已完成填海 7140 公顷；深圳市规划至 2020 年将新增围填海面积 5935 公顷。据 1988 年广东省海岸带和沿海滩涂资源调查以及海洋局 2009 年对 1990 年以来围填海调查的不完全统计，全省围垦浅海滩涂约 17.87 万公顷。根据《广东省海洋功能区划(2011 ~ 2020 年)》，将在广州南沙、东莞交椅湾、中山横门、深圳西部、珠海横琴等海域有大规模围填海规划。

人工湿地(库塘、运河、输水河等)土地资源则主要用于水利建设和水产养殖等，土地资源利用强度较大。据调查，全省近海及海岸湿地中有水产养殖湿地 4.01 万公顷，主要分布在粤西、粤东和珠江口。

2.2 水资源

广东湿地可利用的水资源集中于河流、湖泊和水库等湿地，是广东工业、农业用水和人们重要的饮用水源。据统计，2009年，广东水资源总量1613.7亿立方米(地表水1604.1亿立方米、地下水407.6亿立方米)，丰富的水资源保障了全省城乡工农业生产和人民生活对水资源的需求。2009年，全省用水总量463.4亿立方米，人均综合用水量483立方米。2009年，全省人均水资源量为1682立方米，多年平均人均水资源量为1908立方米；万元GDP用水量119立方米，万元工业增加值用水量76立方米(含火电)和53立方米(不含火电)；农田灌溉亩均用水量779立方米；城镇居民生活人均用水量216立方米；农村生活人均用水量134立方米。

广东省是水资源大省，但在水资源开发利用方面也存在一些不容忽视的问题。如全省人均占有本地水资源量为2100立方米，低于全国人均2200立方米的水资源占有量；水资源时空分布不均、配置不尽合理，供需矛盾和局部洪涝、干旱灾害日趋突出；部分地区水污染恶化趋势未得到有效遏制，特别是流经城市的河流段污染严重，农业面源污染和工业排污污染是影响水质的主要原因；水资源利用效率总体偏低。

2.3 生物资源

广东省湿地生物资源的利用主要是对鱼、虾、蟹、贝类等湿地水产动物资源的利用。广东省水产资源丰富，渔业发达，所处的南海区鱼、虾、蟹、贝类等水产种类繁多，具有捕捞价值的鱼类即达100多种。主要种类包括多齿蛇鲻、狗母鱼、长蛇鲻、海鳗、长尾大眼鲷、银方头鱼、高体若鲹、二长棘鲷、绯鲤等。据调查，广东省海岸带及浅海水域分布有鱼类211种，河口水域和河流、水库鱼类324种；虾类350多种；食用蟹类近300种；贝类800多种；还有海参等棘皮动物40种。2008年，广东省海洋捕捞产量为172.05万吨，淡水捕捞产量13.02万吨，海水养殖产量225.91万吨，淡水养殖284.25万吨。

在植物资源利用方面，水稻是广东省重要的粮食作物，红树林是防风消浪的海岸卫士，木麻黄是海岸防风固沙林，水松、落羽杉构成了珠江三角洲农田防护林网。芦苇、香蒲、茳芏、蒲草等是造纸、工艺品、饲料的原材料。江蓠、麒麟菜、鹧鸪菜、马尾藻等均是具有经济价值的湿地植物。

湿地生物中还有许多是药用生物或医药的重要原材料。如在南海珊瑚、海绵、棘皮动物、海藻等生物中提取出的100多种新型化合物，具有抗癌、抗心血管疾病和保健作用等。作为广东湿地植物资源典型代表的红树林植物，除本身的防风固岸生态功能外，其果实可以做食品，部分红树林植物还可以做中药原料。目前医药研究已发现，广东的37种红树林植物中有19种具有药用价值。据中国科学院南海海洋研究所调查发现，南海区域的药用生物有213种。其中有些种类为常用中药，如石莼、鹧鸪菜、乌贼内壳(海螵蛸)、海龙、海马、玳瑁、石决明(鲍壳)、泥蚶、文蛤和珍珠等；有些是比较普遍或在某些地区较流行的用药，如海蛇、黑角珊瑚(海铁树)、羊毛绒球蟹(甲指红)和白丁蛎等；还有一些为民间验方用药，如石笔、海胆等。

2.4　景观资源

广东省湿地景观资源较为丰富，各类型湿地中有不少已开发建设成为著名的旅游景点，如湖泊湿地有肇庆星湖、湛江湖光岩、惠州西湖等著名的旅游景区；河流湿地有连州湟川三峡、清远飞来峡等著名的旅游景区；海岸湿地中许多类型湿地均已成功开发或是具有很大开发潜力的旅游资源，如深圳大鹏湾大梅沙、小梅沙，珠海海滨公园、白藤湖农民度假村，惠东巽寮湾、大亚湾，台山上川岛飞沙滩，阳江闸坡海冲浪，电白放鸡岛海底潜水观光，茂名的水东湾，湛江东海岛天下第一长滩等均是海岸湿地开发的著名旅游景区；库塘湿地中有河源万绿湖风景区、广州流溪河水库、恩平锦江水库等著名景区。此外，还有许多正在开发的各类湿地旅游资源，如南沙湿地游览区、广州海珠湖国家湿地公园、乳源南水湖国家湿地公园、南雄孔江国家湿地公园以及东源东江国家湿地公园等。

此外，广东沿海沙滩众多，气候温暖，红树林分布广、面积大，近海与海岸湿地旅游资源的开发潜力仍然很大。目前还有不少湿地具有生态景观、海底景观以及可供疗养、休闲娱乐的景点尚待开发。

2.5　能源资源

(1)淡水能源。利用河流中的水位落差进行水力发电是广东省最普遍的一种湿地淡水能源利用方式。广东省水力资源理论蕴藏量巨大，其中可能开发的装机容量为665.5万千瓦，占蕴藏量的62%，年发电量达243亿千瓦时。水力资源可开发量以北江流域量大，占全省可开发量的34.2%，其次为东江、西江、韩江。

广东省水力资源开发利用的最大特点是以中小型为主，如在主要河流的干流上，以低水头的中型电站为主；在河流的上游山区，以高、中水头的中小型电站为主。北江、西江和韩江流域水力资源已开发量均约占可开发量的20%，开发潜力仍很大。多数电站可结合防洪、灌溉、航运、供水、改善环境等综合利用，达到经济效益、社会效益和环境效益的统一。

(2)海洋能源。限于目前海洋能源开发利用水平，广东省可开发的潮汐能资源坝址有23处，总装机容量为16.29兆瓦，年总发电量为32.24×10^6千瓦时，主要分布在粤东、粤西沿海，如惠来、陆丰、海丰、惠阳，台山、阳江、电白、湛江、遂溪等地。但由于广东沿岸潮差小，单纯利用潮汐能经济效益低，现主要用于为海上航标灯供电，已推广使用。此外，沿海的风能、波浪能都有一定的开发潜力，今后可在近海海域建设若干海上风电项目。

2.6　矿产资源

(1)海滨矿产。珠江三角洲岛丘下蕴藏的锡砂、雷州半岛的泥炭、珠海的玻璃砂矿等，目前均已设矿场开采。各地的黏土和建筑用砂砾也普遍由民间分散开采。同时，海岸盐田还源源不断提供食用盐和工业用盐。

(2)油气资源。广东省南海珠江口盆地油气田蕴藏有丰富的石油和天然气资源，已探明的油气储量约97亿吨，是我国重要的海上大油田。珠江口外海域和北部湾的油气田已开采出多口出油井。

第二节 湿地资源可持续利用前景分析

1 湿地资源可持续利用潜力

湿地为人类提供重要的生态服务功能，被誉为“地球之肾”“生命的摇篮”“物种基因库”“鸟类乐园”，能够为人类生产、生活提供多种资源，如粮食、肉类、鱼类、药材、能源以及各种工业原料，还在抵御洪水、减缓径流、蓄洪防旱、降解污染、调节气候、维持生物多样性等方面有着重要功能。湿地是具有多种功能的独特生态系统，是重要的自然资源和人类赖以生存的环境资本，在支撑人类社会和谐发展和自然系统有序循环等方面有着举足轻重的作用。

广东省地处北热带、南亚热带地区，气候温暖湿润，海岸线长，江河出海口众多，内陆地区分布着众多的湖泊、水库、河流、水塘。根据全国第二次湿地资源调查成果，广东省湿地面积175.34万公顷，占全省国土面积的10%，涵盖了全国湿地5类34型中的5大湿地类和21个湿地型，储藏了丰富的湿地资源。但广东省湿地资源利用技术落后、管理粗放、布局混乱，沿海滩涂养殖规模盲目扩大，致使近岸海水污染严重，反制水产养殖业的长远发展；海滨浴场、滩涂景观、岛屿以及红树林景观等旅游资源开发混乱，旅游产业没有形成统一发展布局，效益低下；各种优质矿砂资源过量开采或非法开采严重；流域内生产生活对河流的污染加剧，优质水资源供给能力减小；小微水电发展混乱，生态受影响严重；沿海风电发展迅猛，潮汐能开发滞后。因此，加强广东省湿地资源的保护与可持续利用，首先要开展湿地资源利用与保护方面的研究，特别是在新技术研究应用、整体性规划、多层次的开发、经济手段的调节等方向的研究，将指导湿地资源开发利用朝着规划布局统一、经营管理集约、技术措施先进的方向发展，实现全省湿地资源的可持续利用。

2 湿地资源可持续利用优势

生态文明建设是社会可持续发展的必然要求，湿地资源可持续利用是建设生态文明的重要组成部分。生态文明建设要求转变湿地资源利用方式，发展生态产业，合理永续开发利用湿地资源。生态文明建设战略部署是推进湿地资源可持续利用的有利形势，而各项湿地保护工程建设是湿地资源可持续利用的第一步。全国“十二五”湿地保护规划就湿地保护体系建设、重要生态功能区湿地恢复与综合治理、湿地可持续利用示范、湿地保护管理能力建设等做出了重要部署。珠江是我国的第三大河流，珠江三角洲是我国经济最发达地区之一。中国湿地保护行动已将保护深圳、珠海经济特区和香港、澳门特别行政区同处的珠江三角洲湿地生态系统列入优先保护项目。

广东省一贯重视湿地保护和管理工作，湿地保护工作走在全国前列，在开展湿地保护宣传、湿地资源调查、划定和加强湿地自然保护区建设、制订和完善湿地资源保护发展规划、对外交流与合作以及打击破坏湿地资源违法行为等方面做了大量的工作，取得了突出成绩。2005年，省政府批准建立广东省湿地保护管理联席会议制度，确定由林业行政主管部门统一组织，协调湿地保护工作。2006 年 6 月，省人大常委会通过了《广东省湿地保护条例》，为广东省湿地保护奠定了法律基础。2008 年 12 月，广东省林业局粤林发[2008]149 号文"关于印发《广东省湿地保护工程规划(2006～2030)》的通知"，印发全省各地实施。截至目前，全省已经建立了各种级别的湿地类型自然保护区 94 处，其中国际重要湿地 3 处。各国家级自然保护区和省级自然保护区均设立了相应的保护管理机构，全省自然湿地保护网络初步建立，湿地保护的理念正逐步为公众所接受，管理部门、社会团体组织和广大群众对湿地重要性的认识明显提高。根据规划，至 2020 年，广东省将新造沿海红树林 2.7 万公顷，使全省沿海红树林面积恢复至 3.7 万公顷，逐步形成结构合理、生长稳定、生态功能良好的沿海红树林防护体系；湿地类型自然保护区建设总数达到 170 个，保护面积达到 100.15 万公顷，其中国家级湿地自然保护区 20 个，湿地公园 55 个，建立湿地可持续利用示范区 9 处。

3　保障措施

(1)加强湿地宣传教育，提高全社会的湿地保护意识。针对目前人们对湿地普遍缺乏认识这一现状，加大对湿地的宣传力度，形成政府重视、媒体关注、公众参与的多形式，多渠道宣传方式，增加全社会的湿地保护意识，促进湿地保护管理日常化，使人们能自动自觉将湿地保护纳入日常生活中。为了提高各级领导和干部、群众对保护湿地的认识，使大家认识到保护湿地资源和合理利用资源是关系到人类生存与发展的大事，结合湿地自然保护区或湿地公园建设，充分展示湿地的功能和价值。同时建立湿地科普宣教中心，加强湿地科普教育。

(2)加强自然湿地资源的保护，加大红树林湿地的恢复力度。湿地生态系统是全省重要的自然生态资本，但其现状不容乐观。现有湿地资源整体上呈湿地面积逐步减小、生态质量逐步下降、生态功能逐步降低的趋势，全省现存每一块湿地甚至是自然湿地均处于高强度的人为活动干扰状态下。合理利用湿地资源的首要前提就是要加强对现有资源的保护，彻底扭转目前湿地生态环境恶化的不利趋势，这也是合理利用湿地的最大资本。目前，全省的红树林湿地约为 2 万公顷，根据《广东省湿地保护工程规划(2006～2030 年)》统计，宜林滩涂还有 2.67 万公顷。恢复红树林是保障沿海安全的天然屏障。

(3)制定科学利用政策，加强对近海与海岸湿地的保护。立足广东海岸线长、沿海滩涂多的优势，在符合海洋功能区划、海洋生态环境保护、防潮防洪以及航道整治等要求的前提下，制订专项规划和实施计划，科学合理开展围海造地工程。围海造地成陆土地主要用于建设用地，以减少新增建设对农地的占用，促进东翼、西翼和珠江三角洲海洋经济带建设。围海造地应坚持"因地制宜"的原则，宜农则农，宜建则建，并纳入各级土地利用总体规划。

对于内陆淡水湿地生态系统，坚决杜绝随意侵占湿地和改变湿地属性的行为发生，严格禁止围垦、采挖、堤岸工程、景点建设、餐饮宾馆建设侵占湿地。

广东近海与海岸湿地面积大，如何做到保护海岸滩涂湿地生态环境并合理利用湿地土地资源已越来越受到人们的关注。大面积围垦滩涂为城市用地的工程，必须着眼于广东省沿海地区经济社会发展的大局和全省土地资源紧缺的客观实际，本着生态优先的原则，进行生态安全的综合评价，制定科学的围垦政策，合理控制围垦规模和速度，注重保留和保护沿海典型潮间带湿地生态系统及其生物多样性，维护沿海湿地在全球湿地生物多样性保护方面的重要国际意义。

(4)合理利用湿地景观资源，适度发展湿地生态旅游。广东省有不少湿地资源具有独特的热带、亚热带生态景观，是一些颇具特色的旅游资源。在维护湿地生态平衡、保护湿地功能和生物多样性的前提下，可通过建立湿地保护区、湿地公园等方式，开展湿地生态旅游，展示湿地自然景观和独特的生物多样性、湿地文化，发挥湿地公园湿地休闲、湿地科普教育等方面的作用，最大限度地发挥湿地的生态、经济、社会效益。如珠江三角洲的基塘湿地具有南国水乡田园风光的最大特色，是一种良性循环的生态系统，可以建立生态旅游点，让游客领略岭南水乡风情，了解湿地重要性，增强湿地生态知识。如广州市南沙区的湿地游览区是典型的集湿地生态、科普、现代农业、水产养殖业于一体的旅游休闲观光地。

(5)控制围网养殖规模，严格控制陆源污染物排放，维护湿地水环境质量。发展迅速的沿海滩涂和内陆淡水围网养殖业为社会提供了丰富的水产品，为社会经济的发展做出了积极的贡献。但围网养殖业导致水体富营养化的负面效应已经很突出。主要是由于围网养殖规模超过了水环境的生态承载力，同时围网养殖的密度和过量施入饵料更加剧了水体富营养化。

要实施严格的陆源污染物入海总量控制。要充分考虑海洋的环境容量，着力削减工业废水、生活污水、禽兽养殖污染和城市面源污染等陆源污染排放量。积极发展循环经济，大力推进清洁生产，从源头上防止环境污染和生态破坏；坚持环境与发展综合决策，严格环保准入，实行严格的污染物排放总量控制。

(6)开展湿地资源可持续利用示范，加强湿地科学利用引导和推介。湿地资源只有被科学利用才能产生积极的综合效益。而湿地资源是水资源、土地资源、生物资源、景观资源、矿产资源、能源资源等多种资源类别的综合体，涉及林业、国土、农业、渔业、能源、矿产、水利等多个行业。湿地资源合理利用必须充分发挥其各个组成资源类别的效益。但湿地的概念、湿地的价值和功能、湿地保护管理均还没有被公众广泛接受。建议根据具有不同地方特色的湿地资源，建立各种类型的湿地可持续利用示范，如珠江三角洲基塘高效利用示范、海岸湿地可持续利用示范、湿地生态旅游示范、红树林高效利用示范、河流湿地可持续利用示范、水稻田高效可持续利用示范、退养还滩示范、滨海湿地生态养殖示范、滨海湿地潮汐能利用示范等。

(7)加强湿地监测与科学研究，积极开展国际合作与交流。建立湿地监测站，形成湿地监测网络，全面监测湿地生态系统状况。在本次全省湿地资源调查的基础上，对湿地监测采用点、面结合的方法，采用基于“3S”技术为主的大范围宏观监测和典型湿地定位连续监测相结合的方法，高标准建立湿地生态监测网络，开展湿地动态监测，为全省湿地的保护管理提供科学的决策依据，建设全国湿地监测的典范。

在全面建立湿地监测网络的基础上，进一步加强湿地基础科学研究，积极促进湿地科研成果的转化和推广，借鉴并吸收国际湿地保护管理和合理利用的先进技术和成功经验，加大湿地保护领域的国际合作，积极争取国际资金和技术支持，提高湿地保护管理的科研实力。

第五章 湿地资源评价

第一节 湿地生态状况

1 广东省湿地水生态状况

1.1 江河水系

由于人口的增长，城市的迅速发展，湿地的水环境污染相当严重。全省省控江段59条，共布设省控断面116个断面。其中，68.1%的断面水质优良，63.8%的断面水质达到功能区水质标准，有三成断面水质达不到Ⅲ类水平。其中，13.8%为Ⅳ类水质，7.8%为Ⅴ类水质，10.3%的水质为劣Ⅴ类，受重度污染。西江、北江、东江、潭江、韩江、袂花江干流和珠江三角洲的主要干流水道水质良好；龙岗河、坪山河、佛山水道、市桥水道、深圳河、练江和小东江湛江段共7个江段水质受到重度污染。受重度污染的江段主要为珠江三角洲流经城市江段和部分水量较小的支流。主要污染指标为粪大肠菌群、氨氮、耗氧有机物和总磷。

1.2 湖泊水库与饮用水源

全省3个省控湖泊中，湖光岩湖为Ⅱ类水质，水质优；星湖为Ⅲ类水质，水质良好；西湖为Ⅳ类水质，受轻度污染，但仍达到功能区划水质要求。8个省控大型水库中，新丰江水库和枫树坝水库年平均水质为Ⅰ类；流溪河水库、高州水库和飞来峡水库水质为Ⅱ类；水质为优，杨寮水库、白盆珠水库和鹤地水库水质良好，营养状态在贫营养和中营养之间。虽然广东水质总达标率上升4.6个百分点，但广州西部水源的水质污染依然较重，主要为氨氮、粪大肠菌群、氟化物超标。

全省共统计21个地级以上城市的74个饮用水源地，水质总达标率为94.2%。饮用水源地水质完全达标城市有19个，未完全达标城市为广州、深圳2市，达标率分别为81.0%和97.6%。广州市西部水源水质污染仍较重，主要超标项目为氨氮、粪大肠菌群、石油类、氟化物等。深圳市水源水质超标项目为总氮。

1.3 入海河口

全省 14 条主要入海河流中，64.3%的河口水质为Ⅱ～Ⅲ类，水质优良；21.4%为Ⅳ类，受轻度污染；14.3%劣于Ⅴ类，受重度污染。东江和磨刀门水道河口水质最好，均为Ⅱ类水质；深圳河口、练江河口水质较差，均劣于Ⅴ类。入海河口主要污染指标为粪大肠菌群和耗氧有机物等。

1.4 近海与海岸湿地

2008 年，广东省对雷州半岛西南沿岸、珠江口、大亚湾 3 个监控区进行监测，监控区面积 6330 平方公里，主要生态类型包括海湾、河口、珊瑚礁等三类典型生态系统(表 5-1)。

表 5-1 2008 年广东省海洋生态监控区基本情况

生态监控区	面积(平方公里)	主要生态系统类型	健康状况
雷州半岛西南沿岸	1150	珊瑚礁	亚健康
大亚湾	1200	海湾	亚健康
珠江口	3980	河口	不健康

从表 5-1 可以看出，珠江口的生态系统处于不健康状态，大亚湾海域生态系统、雷州半岛西南沿岸珊瑚礁生态系统处于亚健康状态。

1.4.1 珠江口生态监控区

据监测，珠江口生态监控区的生态系统处于不健康状态。该区水体呈严重富营养化状态，氮磷比例失衡，90%以上的水域无机氮含量超过《海水水质标准》Ⅴ类标准。春季，40%水域的活性磷酸盐含量超过《海水水质标准》Ⅲ类标准。部分生物体内铅、镉、砷、总汞和石烃含量偏高，全部生物残毒检测样品的铅含量偏高。栖息地变化较大，生物群落结构异常，浮游植物的种类多样性指数和均匀度较低，浮游动物密度低于正常波动范围，底栖生物的密度则高于正常波动范围。主要生态问题是海水富营养化、生境改变、渔业资源衰退、生物群落结构异常。主要影响珠江口生态环境的因素是不科学的围填海、陆源排放、无序采砂、海洋工程施工和过度捕捞。

1.4.2 大亚湾生态监控区

大亚湾海域生态系统处于亚健康状态。2008 年监测结果显示，春季海水水质良好；夏季，15%水域的无机氮含量超过《海水水质标准》Ⅱ类标准，90%水域的活性磷酸盐含量超过《海水水质标准》Ⅰ类标准。全部生物残毒检测样品的铅含量偏高，部分生物体内镉、砷和石烃含量偏高。生物群落结构异常，海洋藻类密度高于正常范围，浮游动物和底栖生物的密度低于正常波动范围，生物多样性指数和均匀度较低。

主要生态问题是生境改变、渔业资源衰退、生物群落结构异常和环境污染。主要影响大亚湾生态环境的因素是不科学的围填海、陆源排放、海洋工程施工和海上船舶污染。

1.4.3 雷州半岛西南沿岸生态监控区

雷州半岛西南沿岸珊瑚礁生态系统处于亚健康状态。2008 年监测结果显示，该生态区内约 40%的水域石油类含量超过《海水水质标准》Ⅱ类标准，三分之一的表层沉积物有机碳含量超过《海洋沉积物质量》Ⅰ类标准；海洋藻类密度在正常范围，浮游动物和底栖生物的生物量偏低，底栖生物的种类、平均栖息密度及生物量呈逐年递减趋势。

雷州半岛珊瑚礁生态系统存在的主要生态问题是环境污染、生物群落结构异常、造礁珊瑚退化及群落结构变化。

主要因素为沿岸开发活动引起水土流失，人为破坏问题存在。

2 广东省重点调查湿地生态状况

参照《全国湿地资源调查技术规程(试行)》及《广东省湿地资源调查操作细则》，结合广东省湿地特点和具体情况，确定重点调查湿地共48处，对其中33处进行了湿地生态状况综合评价，另外，15处为大于1万公顷的浅海水域湿地，1处为库塘湿地，未成立任何保护管理机构，因此未做湿地生态状况综合评价。进行湿地生态状况综合评价的重点调查湿地包括：湿地类型自然保护区28处(其中林业系统自然保护区国家级2处、省级10处、市县级7处，海洋渔业系统自然保护区国家级4处、省级5处)，湿地公园4处，其他具有特殊保护意义的湿地2处。各重点调查湿地概况见附录3。

3 广东省各重点调查湿地生态状况综合评价

3.1 湿地生态状况综合评价方法

湿地生态状况直接反映出湿地生态系统的健康水平，也是评价湿地生态功能是否正常发挥和满足人类需要的重要依据。依据广东省湿地资源调查成果数据，综合利用反映湿地生态状况的自然湿地面积、生物多样性、水环境及湿地利用和受威胁状况等方面的指标，采用层次分析方法(AHP)和德尔菲法，对评价指标进行分级、赋值并确定权重，建立如下的湿地生态状况的综合评价体系(表5 2)。

表5-2 湿地生态状况评价因子及权重

一级	权重	二级	权重	因子	权重
自然指标	0.6	景观指标	0.10	自然湿地率	0.030
				湿地密度	0.012
				湿地斑块密度	0.018
		生物多样性指标	0.45	单位面积鸟类多度	0.108
				植物覆盖度	0.108
				外来物种入侵情况	0.054
		水环境指标	0.45	污染物输入情况	0.094
				水质级别	0.176
人为干扰指标	0.4	社会指标	0.40	人口密度	0.064
				湿地利用情况	0.096
		威胁指标	0.60	湿地威胁因子数量	0.084
				湿地受威胁程度	0.156

各指标因子的赋值方法如下：

①自然湿地率、湿地密度、湿地斑块密度、单位面积物种多度、植被覆盖度、人口密度 6 个指标根据大小分为五级，分别赋值 1、3、5、7、9，指标值越高表示生态状况越好。

②外来物种入侵、污染物输入 2 个指标分两个等级，“有”赋值 2，“无”赋值 8。

③营养状况指标分三级，“贫营养”赋值 8，“中营养”赋值 5，“富营养”赋值 2。

④水质级别分五级，分别赋值 9、7、5、3、1。

⑤利用情况分四级，“工业”（城市建设）赋值 3，“农业”（种植、牧业、林业）及“旅游业”赋值 5，“水源地”赋值 7，“未利用”赋值 9。

⑥威胁因子数量，分为十级，采用“10 - 数量”进行赋值。

⑦威胁程度分为三级，“安全”赋值 8，“轻度”赋值 5，“重度”赋值 2。

根据统计学累计求和公式，计算每处重点调查湿地生态状况综合得分。

$$\text{综合得分} = \sum \text{指标因子赋值} \times \text{指标权重}$$

根据综合得分，对重点调查湿地的生态状况进行综合评定，再利用统计学的自然断点法对重点调查湿地的生态状况综合得分进行划分，分为好、中、差 3 个等级。

3.2 广东省各重点调查湿地生态状况评价结果

根据湿地生态状况综合评价方法，广东省各重点调查湿地的综合评分和评价结果见表 5-3。根据自然断点法，判定得分 6.13 分以上的湿地生态状况为好，得分 4.89 ~ 6.13（含 6.13）分的湿地生态状况为中，得分 4.89（含 4.89）分以下的湿地生态状况为差。

表 5-3 广东省重点调查湿地生态状况综合得分与评价

重点调查湿地	自然湿地率	湿地密度	湿地斑块密度	单位面积物种多度	植物覆盖度	外来物种入侵	污染物	富营养	水质级别	人口密度	利用情况	威胁因子数量	威胁程度	综合评分	评价
湛江红树林国家级自然保护区	9	7	5	9	9	2	2	8	7	9	9	7	8	7.41	好
惠东港口海龟国家级自然保护区	9	7	7	3	1	2	2	8	9	9	9	8	8	6.26	好
海丰鸟省级类自然保护区	7	5	7	7	7	2	8	5	7	5	7	8	8	6.61	好
内伶仃福田国家级自然保护区	9	7	7	9	7	2	2	2	5	9	9	6	8	6.36	好
珠江口中华白海豚国家级自然保护区	9	7	7	5	1	8	2	2	1	5	9	7	2	3.95	差
徐闻珊瑚礁国家级自然保护区	9	9	9	9	5	8	8	8	9	5	9	8	2	6.82	好
雷州珍稀海洋生物国家级自然保护区	9	9	7	5	3	8	8	8	9	5	5	8	5	6.24	好
珠海淇澳—担杆岛省级自然保护区	9	7	7	7	5	8	8	7	5	7	7	8	8	6.82	好
南澳候鸟省级自然保护区（含南澎列岛海洋生态保护区）	9	5	5	7	3	8	8	8	9	9	9	9	8	7.61	好
河源新港省级自然保护区	3	7	7	3	3	2	8	7	7	5	7	7	8	5.73	中

（续）

重点调查湿地	自然湿地率	湿地密度	湿地斑块密度	单位面积物种多度	植物覆盖度	外来物种入侵	污染物	富营养	水质级别	人口密度	利用情况	威胁因子数量	威胁程度	综合评分	评价
龙川枫树坝省级自然保护区	1	7	7	3	1	8	8	5	9	9	5	9	8	6.11	中
蕉岭长潭省级自然保护区	7	5	7	5	3	2	2	5	5	7	7	7	8	5.41	中
惠东莲花山—白盆珠省级自然保护区	5	7	7	3	1	8	2	8	7	5	7	8	5	5.27	中
连南板洞省级自然保护区	7	3	3	5	3	8	8	8	7	7	5	6	5	5.79	中
连南大鲵省级自然保护区	7	5	3	53	3	8	8	8	7	7	7	8	5	5.97	中
潮安凤凰山省级自然保护区	7	3	5	3	3	2	8	8	7	5	7	8	8	5.96	中
曲江罗坑省级自然保护区	7	5	5	3	3	8	8	5	7	5	5	8	8	5.87	中
阳江南鹏列岛海洋生态省级自然保护区	7	5	5	3	1	8	8	8	9	7	5	6	8	6.13	中
大亚湾水产资源省级自然保护区	7	5	3	3	3	8	2	8	5	7	8	4	2	4.67	差
西江珍稀鱼类省级自然保护区	9	7	3	3	1	8	2	5	5	3	5	6	5	4.38	差
汕头湿地自然保护区	9	7	7	7	7	2	2	5	5	7	8	7	5	5.77	中
惠东红树林自然保护区	9	5	5	7	7	2	2	5	5	5	7	7	5	5.52	中
电白红树林自然保护区	7	7	3	5	5	8	2	5	5	5	7	8	8	5.93	中
恩平镇海湾红树林自然保护区	9	9	9	7	9	8	8	5	5	7	5	7	8	6.84	好
台山镇海湾红树林自然保护区	9	9	9	7	9	8	8	5	5	7	5	6	8	6.76	好
阳西濠光红树林自然保护区	9	7	7	5	5	8	5	5	5	3	5	7	5	5.28	中
江城平冈红树林自然保护区	9	7	5	7	5	2	2	5	5	5	7	8	5	5.41	中
肇庆星湖国家湿地公园	9	9	7	7	3	2	2	5	3	9	5	8	8	5.48	中
茂名大洲岛省级湿地公园	7	5	5	5	3	8	2	5	5	3	3	6	5	4.53	差
珠海斗门黄杨河华发水郡省级湿地公园	7	5	5	3	3	8	2	5	5	5	5	6	5	4.64	差
湛江湖光红树林省级湿地公园	9	5	5	5	5	2	2	5	5	5	5	7	5	4.89	差
广州南沙湿地	9	7	7	7	7	2	2	5	5	7	7	7	5	5.68	中
乳源南水水库	1	7	7	5	5	2	8	8	5	5	7	7	8	5.91	中

广东省对32处重点调查湿地进行了生态状况综合评价，评价结果表明9处生态状况为好，17处生态状况为中，6处生态状况为差。

在3个国际重要湿地中，广东湛江红树林国家级自然保护区和广东海丰鸟类自然保护区生态状况均为好。一方面由于这2处重点调查湿地远离珠江三角洲，所受的污染、人为破坏等威胁较轻；另一方面也表现出自然保护区在生态环境的保护方面尤其是在保护生物多样性方面起到了非常大的作用。两处国际重要湿地生物多样性丰富，特别是为湿地鸟类提供了栖息地。另外，广东惠东港口海龟湿地区的生态状况评价结果为中，主要是由于该湿地区的主要湿地型为浅海水域和沙石海滩，湿地植物较少，在很大程度上影响了评价结果。

在24个自然保护区重点调查湿地中，生态状况评价结果为好的有7处，中的15处，差的2处。珠江河流所携带的入海污染物量是广东省所有入海河流中最高的，达到93万吨/年，占所有河流所携带入海污染物总量的78%。然而，处在珠江口的广东内伶仃福田国家级自然保护区和珠海淇澳—担杆岛省级自然保护区的生态状况评价结果为好，说明了保护区在保护生态环境、降低污染方面的作用。再者，同处在珠江口的中华白海豚国家级自然保护区生态状况评价结果为差，主要是因为该处湿地主要是以浅海水域湿地型为主，而上两处保护区主要以红树林湿地型为主。这也进一步表明，湿地植物，尤其是红树林植物，在水体污染物净化方面的巨大作用。同样以红树林湿地型为主的江门镇海湾重要调查湿地(包括恩平镇海湾和台山镇海湾自然保护区)生态状况评价结果也为好。

在4处湿地公园中，除了肇庆星湖国家级湿地公园生态状况评价结果为中外，其余3个省级湿地公园生态状况评价结果都是差。反映出省级湿地公园在保护管理方面存在很大欠缺，尤其是在保护管理机构设置、人员编制、资金及设备等方面的不足，无法发挥出湿地公园在湿地保护、湿地科研、湿地宣教等方面的作用。

第二节 湿地受威胁状况

1 围 垦

广东省沿海地区经济发展比内陆地区快。特别是珠江三角洲沿海发达地区，由于城乡一体化，城市建设快速扩张，人口急剧膨胀，必然导致城市用地不足，于是便向海要地，向滩涂要地。由于珠江上游带来大量的泥沙沉积在珠江入海口，形成了大面积的河滩，广东省的围垦一直未间断过。由于土地资源的紧缺，围垦大型水面或沿海滩涂成为增加陆地面积的重要手段。由于围垦，近几十年来，广东省天然湿地面积急剧减少。

据1988年广东省海岸带和沿海滩涂资源调查，以及海洋局2009年对1990年以来围填海调查的不完全统计，全省围垦浅海滩涂约17.87万公顷。其中，1949～1989年，全省围垦浅海滩涂面积14.8万公顷，平均每年围垦0.37万公顷；1990～1997年，全省围垦浅海滩涂3.07万公顷。1990～1997年7年中，围垦滩涂2.2万公顷，浅海0.87万公顷，平均每年0.43万公顷。

2 过度捕捞和采集

随着经济发展，捕捞强度不断加大，捕鱼船只迅速增长，许多渔船由小船改用机轮，且马力不断加大。渔民为了增加渔获量，多采用密目网具，母鱼、子鱼一网打尽，酷渔滥捕愈演愈烈，结果是“杀鸡取蛋”“竭泽而渔”，造成经济鱼类资源日趋衰退，渔获量不断减少，生物多样性受到威胁，海洋生态环境受到破坏。

3　环境污染

根据《2008年广东省海洋环境质量公报》，2008年广东省监测的97个入海排污口中有66个排污口的污水入海量可监测。这66个排污口的年污水入海量为61.69亿吨。其中，珠三角沿岸海域排放量为47.77亿吨；粤东沿海污水排放量为12.61亿吨。在97个入海排污口中，有61个入海排污口超标排放污染物，主要超标物为CODcr、磷酸盐、氨氮、悬浮物和挥发酚等。14个沿海地级市中，除揭阳外，各市均不同程度超标排放。

4　外来物种入侵

广东省湿地的外来入侵生物主要有凤眼莲(水葫芦)、互花米草、微甘菊等。凤眼莲繁殖能力很强，覆盖在整个水面，使得水中的其他植物不能进行光合作用；而水中的动物没有得到充分的空气与食物，不能够维持水中的生态平衡；甚至有时会堵塞水道。广东省大多山塘、河汊均有凤眼莲生长，如广东海丰国际重要湿地中的联安围湿地的主要水道中生长着大量的凤眼莲，已对水面产生严重的影响。微甘菊是常年生长的藤蔓植物，生长于农田、沿海地区、生态被破坏地区、自然森林、林场、河岸、低地、湿地、居民区。微甘菊通过缠绕窒息和遮挡阳光来杀死其他植物，因此对幼苗和苗圃危害极大。该植物和其他植物竞争水和营养物质，但更重要的是其可能释放一些化学物质抑制其他植物的生长。广东省的微甘菊分布较广，大部分湿地的岸边都有生长，目前只能靠人工拔除。如珠海淇澳红树林自然保护区内生长着少量的微甘菊，每年管理处都要进行人工清理，同时也组织学校的学生来做义务劳动，让学生认识到红树林的重要性和外来入侵物种的危害性。外来入侵物种大都生长能力强，一旦没有控制其生长，则很快会破坏湿地的生态系统。

第三节
湿地资源变化及其原因分析

1　第一、二次全省湿地资源调查结果

第一次湿地资源调查于1996～2000年完成，调查的范围是面积在100公顷以上的湖泊、沼泽、近海与海岸湿地；宽度大于10米，长度大于5公里的主要水系的四级以上河流的支流，以及其他具有重要意义的湿地。全省湿地数量总计为1864101.3公顷，其中包括了东沙群岛的4万公顷。

由于两次湿地资源调查在分类系统、调查范围、调查方法和手段上均不尽相同，因此，只有对第一次调查的成果按第二次调查分类系统进行统计，使其湿地类型相同且起调点相同的条件下才能进行比较。

根据第二次湿地调查的湿地分类标准，第一次调查结果增加人工湿地类，原来的库塘、水库、盐田、三角洲基塘、水产养殖场等湿地型属现在的人工湿地类。三角洲基塘与水产养殖场合

并为现在的水产养殖场。第一次调查的东沙群岛的湿地数据本次不做调查，也相应去掉。根据新的湿地分类标准，湿地总面积为179.55万公顷。

第二次湿地资源调查湿地总面积为175.34万公顷，与第一次调查结果进行比较，得出两次调查湿地型数量对比见表5-4和图5-1。

表5-4 两次湿地资源调查数量比较(公顷)

序号	湿地类型	湿地类型代码	第一次数量	第二次数量	变化值
1	浅海水域	101	423005.00	518368.52	95363.52
2	潮下水生层	102	1889.00	112.74	-1776.26
3	珊瑚礁	103	1221.00	230.71	-990.29
4	岩石海岸	104	907.00	2046.20	1139.20
5	沙石海滩	105	49693.00	19459.85	-30233.15
6	淤泥质海滩	106	74625.00	32848.32	-41776.68
7	潮间盐水沼泽	107	15511.00	802.29	-14708.71
8	红树林	108	21438.30	19751.23	-1687.07
9	河口水域	109	280435.00	193200.00	-87235.00
10	三角洲/沙洲/沙岛	110	0	10019.16	10019.16
11	海岸性咸水湖	111	13383.00	18259.47	4876.47
近海与海岸湿地合计			882107.30	815098.49	-67008.81
12	永久性河流	201	567707.00	320632.08	-247074.92
13	洪泛平原湿地	203	40816.00	17248.61	-23567.39
河流湿地合计			608523.00	337880.69	-270642.31
14	永久性淡水湖	301	1686.00	1534.81	-151.19
湖泊湿地合计			1686.00	1534.81	-151.19
15	草本沼泽	402	1024.00	3317.35	2293.35
16	灌丛沼泽	403		206.29	206.29
17	森林沼泽	404		97.85	97.85
沼泽湿地合计			1024.00	3621.49	2597.49
18	库　塘	501	170880.00	219062.01	48182.01
19	运河/输水河	502	0	9387.79	9387.79
20	水产养殖场	503	125293.00	364549.92	239256.92
21	盐　田	505	5950.00	2308.87	-3641.13
人工湿地合计			302123.00	595308.59	293185.59
总　计			1795463.30	1753444.07	-42019.23

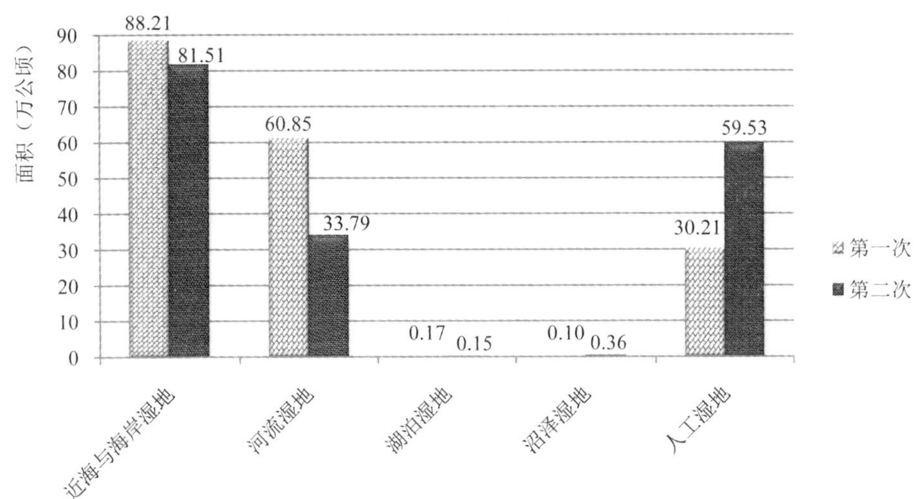

图 **5-1** 两次调查湿地类面积比较柱状图

2 两次湿地资源调查成果比较分析

从表 5-2 中可以看出，第二次调查较第一次调查，湿地总数量减少了 4.2 万公顷。其中河流湿地减少了 27.01 万公顷，近海与海岸湿地减少了 6.7 万公顷，人工湿地增加了 29.32 万公顷，沼泽湿地增加了 0.26 万公顷，湖泊湿地数量小，且变化不大。

2.1 河流湿地比较分析

2.1.1 永久性河流

第一次调查和第二次调查，永久性河流的范围都是以河流长 5 公里，宽 10 米为起点的。永久性河流数量一般是不会变化的，且广东省没有季节性河流。因此，分析河流数据的调查准确性是对比的关键。

(1)第一次调查时采用的基础数据。

①陆地卫星(Landsat TM 多波段)图像；

②由广东省国土厅提供的 1:25 万地形图光盘数据和部分地区的 1:5 万地形图及航空像片。

(2)第二次调查时采用的基础数据。

①广东省 1:5 万地形图及 2007 年、2008 年中巴卫星遥感影像图(19.5 米)；

②国家测绘局提供的 1:5 万的水域数字地形图；

③最新 Google Earth 地形数据资料。

从调查数据来源分析，第二次调查的地形图精度比第一次要高，而且采用的卫星遥感图和 Google Earth 地形图分辨率较高，说明第二次调查数据中永久性河流湿地数据是可靠的。

2.1.2 洪泛平原湿地

第二次调查，广东省的洪泛平原湿地减少了 2.36 万公顷。分析其原因，洪泛平原湿地主要分布在三角洲地带。珠江三角洲是经济最发达地区，现代养殖业非常发达。第二次调查的水产养殖场面积有大幅度增加，说明人们利用洪泛平原湿地，围堰挖塘进行了水产养殖，改变了湿地的类型。

2.2 近海与海岸湿地比较分析

近海与海岸湿地，第二次调查比第一次总数少了 6.70 万公顷。从湿地型分析，浅海水域比第一次多了 9.54 万公顷，河口水域少了 8.72 万公顷。从分类角度来看，两者的分界线难以用量化校准界定，而且界定操作困难，因而把两者面积相加后再比较，第二次就多了 0.82 万公顷。

沙石海滩、淤泥质海滩、潮间盐水沼泽各少了 3.02 万公顷、4.18 万公顷、1.47 万公顷，合计共少了 8.67 万公顷。经分析，这 3 种类型的湿地都可能开发为水产养殖场。这 3 种湿地的减少量和洪泛平原湿地的减少量总和为 11.03 万公顷，这个数与人工湿地中的水产养殖场的增加量 23.92 万公顷相比，差 12.89 万公顷。这个数据从另一个角度说明了近海与海岸湿地和河流湿地都在大量被围垦利用为水产养殖场。

2.3 人工湿地比较分析

第二次调查，人工湿地数量比第一次增加了 29.32 万公顷。其中，库塘增加了 4.82 万公顷，水产养殖场增加了 23.92 万公顷，盐田减少了 0.36 万公顷。分析原因，一是起调范围不同，第二次为 8 公顷以上，而第一次为 100 公顷以上；二是判别卫星遥感图的精度不同导致。

2.4 湖泊湿地比较分析

广东省的湖泊湿地本来就少，第二次调查又减少了 151.19 公顷，这主要是惠州潼湖和普宁白坑湖被围湖造田等造成的。

2.5 沼泽湿地比较分析

广东省的沼泽湿地增加了 2597.49 公顷，增加了灌丛沼泽和森林沼泽两种类型的湿地，原来的草本沼泽湿地数量也增加了 2293.35 公顷。

2.6 两次调查面积变化原因

(1)调查范围不同。第一次调查的范围是面积大于 100 公顷的湿地，第二次调查范围为大于 8 公顷湿地，范围的不同导致了结果不同。

(2)调查精度的差异，第一次调查采用的地形图和卫星遥感图精度均比第二次低。卫星遥感图分辨率低导致有些类型湿地的误判。如养殖场、库塘、淤泥质海滩的判别容易混淆。

(3)湿地的利用强度增大，导致湿地类型的改变。比如淤泥质海滩、潮间盐水沼泽、洪泛平原湿地有大量已被围垦为水产养殖场。

(4)面状河流的宽度问题，导致河流湿地的误差较大。小比例地形图和分辨率低的卫星遥感图分辩不出面状河流的宽度。

第六章 湿地保护与管理

第一节 湿地保护管理现状

1 湿地保护现状

广东省现有国际重要湿地3处，分别为广东湛江红树林国家级自然保护区、广东惠东港口海龟国家级自然保护区、广东海丰鸟类省级自然保护区。湿地类型自然保护区共94处，总面积近80万公顷(由于各种原因，很多市、县级的保护区并没有具体界线和管理机构，本次仅调查各类湿地类型自然保护区28处，总面积415587.86公顷，其中湿地面积104091.93公顷)。各类湿地公园13个，总面积40008.90公顷。其中，国家湿地公园1个，国家湿地公园试点7个，省级湿地公园5个。此外，在茂名高州设立野生稻保护点对野生稻及其生境进行保护。基本形成了以国际重要湿地为典型，以自然保护区、湿地公园为主，各类保护点为辅的湿地保护体系。已建湿地类型自然保护区和湿地公园见表6-1。

2 湿地管理现状

广东省高度重视湿地资源的保护和管理。省政府于2004年8月发布《转发国务院办公厅关于加强湿地保护管理的通知》(粤府办[2004]83号)，明确将建立湿地保护管理联席会议制度和湿地自然保护区。2005年，建立了湿地保护管理联席会议制度；2006年，出台了《广东省湿地保护条例》，湿地保护工作进入了规范化的新起点；2010年，实行重点湿地生态补偿机制，开展湿地保护补助工作；2013年，随着新一轮全面绿化广东大行动的开展，湿地公园作为广东省建设生态林业、民生林业的一个主要抓手，逐步成为生态建设的新亮点。2014年初，广东省成立了全国第一家省级湿地保护协会；2014年6月，印发了《广东省省级野生动植物保护管理及湿地保护专项资金管理办法》。

表 6-1 广东省已建湿地类型自然保护区和湿地公园一览(公顷)

受保护形式	分布地	名 称	面 积	湿地面积	主管部门	备 注
湿地类型自然保护区	湛江市	湛江红树林国家级自然保护区	20282.24	20282.24	林业	国际重要湿地
	惠州市	惠东港口海龟国家级自然保护区	1800.00	46.71	海洋渔业	国际重要湿地
	深圳市	内伶仃—福田国家级自然保护区	922.00	474.94	林业	
	珠海市	珠江口中华白海豚国家级自然保护区	46000.00	38578.17	海洋渔业	
	湛江市	徐闻珊瑚礁国家级自然保护区	14378.00	3208.53	海洋渔业	
	湛江市	雷州珍稀海洋生物国家级自然保护区	46864.67	521.69	海洋渔业	
	汕尾市	海丰鸟类省级自然保护区	11590.50	8671.79	林业	国际重要湿地
	珠海市	珠海淇澳—担杆岛省级自然保护区	7373.77	7005.59	林业	
	汕头市	南澳候鸟省级自然保护区	256.50	104.41	林业	
	汕头市	南澎列岛海洋生态省级自然保护区	61432.00	161.01	海洋渔业	
	河源市	河源新港省级自然保护区	7513.00	587.82	林业	
	河源市	龙川枫树坝省级自然保护区	15670.80	3803.67	林业	
	梅州市	蕉岭长潭省级自然保护区	5585.70	298.56	林业	
	惠州市	惠东莲花山—白盆珠省级自然保护区	14034.10	3522.26	林业	
	清远市	连南板洞省级自然保护区	10195.80	65.82	林业	
	清远市	连南大鲵省级自然保护区	1493.40	32.33	农业	
	潮州市	潮安凤凰山省级自然保护区	2845.80	8.10	林业	
	韶关市	曲江罗坑省级自然保护区	18813.60	452.49	林业	
	阳江市	阳江南鹏列岛海洋生态省级自然保护区	20000.00	553.68	海洋渔业	
	惠州市	大亚湾水产资源省级自然保护区	90000.00	1029.73	海洋渔业	
	肇庆市	西江珍稀鱼类省级自然保护区	1914.00	443.12	海洋渔业	
	汕头市	汕头湿地自然保护区	10300.00	9646.04	林业	
	惠州市	惠东红树林自然保护区	533.30	330.21	林业	
	茂名市	电白红树林自然保护区	1950.00	1542.75	林业	
	江门市	恩平镇海湾红树林自然保护区	666.70	115.31	林业	
	江门市	台山镇海湾红树林自然保护区	869.78	869.78	林业	
	阳江市	阳西濠光红树林自然保护区	1502.20	1502.20	林业	
	阳江市	江城平冈红树林自然保护区	800.00	232.98	林业	
	合 计		415587.90	104091.93		

（续）

受保护形式	分布地	名　称	面　积	湿地面积	主管部门	备　注
湿地公园	肇庆市	肇庆星湖国家湿地公园	935.40	677.30	林业	已通过验收
	韶关市	乳源南水湖国家湿地公园	6283.70	4010.20	林业	试点
	湛江市	雷州九龙山国家湿地公园	1537.00	1149.90	林业	试点
	河源市	万绿湖国家湿地公园	26348.70	24880.40	林业	试点
	韶关市	孔江国家湿地公园	1168.00	639.20	林业	试点
	河源市	东江国家湿地公园	776.00	546.00	林业	试点
	广州市	海珠湖国家湿地公园	869.00	476.60	林业	试点
	肇庆市	怀集国家湿地公园	520.50	183.10	林业	试点
	湛江市	湛江湖光红树林湿地公园	667.00	367.60	林业	
	茂名市	茂名大洲岛湿地公园	380.00	280.00	林业	
	珠海市	珠海斗门黄杨河华发水郡湿地公园	60.00	51.10	林业	
	韶关市	韶关浈溪湖省级湿地公园	438.00	116.40	林业	
	云浮市	郁南九星湖省级湿地公园	25.60	25.00	林业	
	合　计		40008.90	33402.80		

2.1　湿地管理机构建设

广东省的湿地保护管理行政机构为广东省林业厅保护处，正处级，核定公务员编制6名，其中处长1名，副处长1名，依照公务员法管理，负责对全省湿地的监管，并对全省各地的湿地保护管理机构进行技术指导和湿地宣教活动等。广东省政府建立了湿地保护联席会议制度。广东省海洋渔业部门成立了自然保护区管理站，指导全省渔业部门和海洋类型的自然保护区工作。此外，广州、深圳、珠海、惠州、茂名、清远、韶关、汕头、汕尾等市成立了专门管理机构负责市的野生动植物保护和湿地的管理工作。

湿地类型的国家级自然保护区均成立了正处级的管理局，由省政府核定编制和经费，内设科研科、管护科、森林公安派出所等机构，基本建设经费由国家和省、市按比例投入，基础设施良好。省级自然保护区成立了管理处(副处级的事业单位)，由省政府核定编制和经费，内设科研科、管护科、森林公安派出所等机构，基本建设经费由省、市按比例投入，基础设施良好。地方级自然保护区主要由林业和其主管部门的林业站等基层组织兼管，存在管理人员和经费投入不足等问题。

湿地公园的管理部门由当地政府协调设立，人员经费由当地政府统筹解决。

2.2　湿地保护补助实施情况

广东省的湿地保护补助主要包括中央湿地保护补助和从2010年开始实施的广东省湿地保护补助项目。中央湿地保护补助资金主要用于国家湿地公园的湿地恢复、湿地管护及科普宣教工程建设，具体补助资金根据当年申报审批情况确定。

2010 年，广东省政协将《加强湿地保护，建立重点湿地生态补偿机制》(第 20100687 号)列为重点督办提案。同年，广东省开始实施湿地保护补助项目，制定了《广东省湿地生态效益补偿(试点)资金管理办法》，并选取 6 处湿地开展湿地生态效益补偿试点。2014 年，广东省财政厅和广东省林业厅联合印发了《广东省省级野生动植物保护管理及湿地保护专项资金管理办法》，明确省级财政湿地保护专项资金主要用于野生动植物资源调查、监测，湿地保护恢复和宣传教育等。该项目实施以来，广东省累计投入省级湿地保护补助投资 5000 万元。

第二节 湿地保护管理建议

1 湿地保护管理建议

近年来，广东省的湿地保护管理工作成效显著，但也面临着湿地宣教力度不够大、公众湿地保护意识不强，湿地保护管理机构和湿地保护执法队伍不健全，管理部门多、协调难度大，管理经费和人员编制不足、科研监测技术应用和发展滞后等问题。下一步，广东省的湿地保护和管理工作可参照以下建议逐步开展相关工作，保障湿地得到更加有效的管理保护和合理利用。

(1)加强湿地宣传教育，提高湿地保护意识。充分发挥行业主管部门的宣传推动作用，借助社会公益团体、各类媒体的力量，多渠道宣传湿地科普知识、《广东省湿地保护条例》等相关管理制度，增加全社会的湿地保护意识，促进湿地保护管理主流化，使人们能自动自觉将湿地保护纳入日常生活中，使政府能将湿地保护管理纳入常规决策考虑。结合湿地公园、湿地类型的自然保护区建设，建设 1 处广东省湿地博物馆，建立几个专题湿地科普宣教中心，免费对市民开放。

(2)健全保护管理机构，成立保护执法队伍。要建立健全各级湿地管理机构，在各地级市的林业局成立湿地保护管理办公室，各自然保护区、湿地公园成立相应级别的湿地管理机构，成立各地级市的湿地执法队伍，保障湿地资源的管理工作有效开展、湿地资源的合理合法利用。建议在省级层面成立一个湿地监测中心(处级单位)，负责湿地保护、湿地资源调查的技术支持和指导工作。建议由政府层面主导，将湿地执法权划归森林公安局，使得湿地执法统一由林业部门实施，解决目前多头管理的难题。

(3)严格执行保护条例，统筹部署项目实施。2006 年出台的《广东省湿地保护条例》是省内湿地资源管理的主要依据，要制定保障措施，确保条例的有效实施。根据编制的《广东省湿地保护工程规划(2011 ~2015 年)》，逐步开展相关工程的实施，并组织各市编制相应的湿地保护工程规划，立足长远，引导地方政府树立全局观念，确保湿地保护、利用项目的可持续发展。目前，广州、东莞、珠海等市已完成本地的湿地保护工程规划。

(4)完善湿地监测体系，培养专业技术人员。利用 2009 年全国湿地资源调查的数据库和“3S”技术，布设一定数量的监测点，开展全省的湿地资源动态监测，为湿地保护和管理提供基础数据信息支持。与中山大学等高校、科研机构合作，对湿地的管理和专业技术人员进行定期培训，及时了解湿地管理、湿地恢复的新技术、新措施，提高湿地恢复、实地管理水平。

(5)建立湿地保护小区，完善湿地保护体系。在自然保护区、湿地公园之外，广东省仍有一部分珍稀湿地动植物栖息地、较多零散分布的红树林未纳入有效的湿地保护范围内。建议建立湿地保护小区制度，明确管理模式，落实管理人员和经费，将连片面积在2公顷以上的红树林划入湿地保护小区进行管理。开展珍稀湿地动植物栖息地普查，在有保护价值的湿地动植物栖息地建立湿地保护小区。

(6)增加管护建设投入，加强管理保护力度。目前，广东省已建的湿地自然保护区的基础设施建设大部分基本完成，为了进一步完善保护区建设，建议省财政加大对湿地保护区专项工程资金的投入。广东省已编制完成《广东省湿地保护工程实施规划(2011～2015)》，计划"十二五"期间投资1.91亿元，包括湿地保护、湿地恢复、可持续利用、能力建设等共75个项目。新建的各级湿地公园还存在建设经费不足、基础设施落后等情况，在争取国家专项补助资金的同时，要积极争取省级财政支持，完善湿地公园的设施建设和管理能力建立。

2　湿地类型保护地建设推荐目录

根据广东省目前的湿地资源条件和各地保护管理情况，广东省计划申报南澳乌屿岛近海湿地、深圳福田红树林湿地、徐闻珊瑚礁湿地等6处国际重要湿地(表6-2)。升级建设5处湿地类型自然保护区，现为国际重要湿地的海丰鸟类省级自然保护区升级建设国家级自然保护区，台山镇海湾、恩平镇海湾市县级自然保护区合并升级为省级自然保护区，阳江阳西濠光红树林、惠东红树林、汕头湿地自然保护区升级为省级自然保护区(表6-3)。随着新一轮绿化广东大行动的开展，积极推进广东省湿地公园建设，计划建设海陵岛神前湾、广州南沙湿地、深圳坝光银叶树等3处国家级湿地公园，16处省级湿地公园(表6-4)。

表6-2　广东省拟建国际重要湿地推荐名录

序号	拟建名称	行政区位	面积(公顷)	保护对象	备　注
1	南澳乌屿岛近海湿地	汕头市			
2	深圳福田红树林湿地	深圳市			
3	徐闻珊瑚礁湿地	湛江市	14378.00		
4	雷州近海湿地	湛江市	46864.67		
5	珠江口红树林湿地	广州市、珠海市			
6	大亚湾近海湿地	惠州市			
合　计			61242.67		

表 6-3 广东省拟建湿地类型自然保护区推荐名录

序号	拟建名称	行政区位	拟建级别	面积（公顷）	保护对象	备 注
1	广东海丰鸟类自然保护区	汕尾市	国家级	11590.5	野生鸟类及其栖息地	升级
2	江门镇海湾红树林自然保护区	江门市	省级	2000.0	红树林	合并升级
3	阳西濠光红树林自然保护区	阳江市	省级	1502.2	红树林	升级
4	惠东红树林自然保护区	惠州市	省级	1049.8	红树林	升级
5	汕头湿地自然保护区	汕头市	省级	10300.0	红树林、候鸟及水生动物	升级
合 计				26442.5		

表 6-4 广东省拟建湿地公园推荐名录

序号	拟建名称	行政区位	拟建级别	面积（公顷）	备 注
1	海陵岛神前湾湿地公园	阳江市	国家级		
2	广州南沙湿地公园	广州市	国家级	1856.3	
3	深圳坝光银叶树湿地公园	深圳市	国家级	100.0	
4	黄杨河水松林湿地公园	珠海市	省级	300.0	
5	横琴滨海湿地公园	珠海市	省级	393.3	
6	淇澳红树林湿地公园	珠海市	省级	364.0	
7	台山大隆洞湿地公园	江门市	省级	2500.0	
8	中山南朗红树林湿地公园	中山市	省级	70.0	
9	惠州潼湖湿地公园	惠州市	省级	900.0	
10	鼎湖沙浦水雉湿地公园	肇庆市	省级	300.0	
11	海丰小漠红树林湿地公园	汕尾市	省级	120.0	
12	饶平汤溪水库湿地公园	潮州市	省级	1200.0	
13	普宁白坑湖湿地公园	揭阳市	省级	50.0	
14	鹤地水库湿地公园	湛江市	省级	10000.0	
15	高州水库湿地公园	茂名市	省级	5000.0	
16	五华益塘水库湿地公园	梅州市	省级	1000.0	
17	大埔三河坝湿地公园	梅州市	省级	500.0	
18	清城飞来湖湿地公园	清远市	省级	168.0	
19	郁南向阳湖湿地公园	云浮市	省级	500.0	
合 计				25321.6	

附录1 广东湿地调查区域植物名录

<table>
<tr><th rowspan="2">序号</th><th rowspan="2">科</th><th rowspan="2">属</th><th colspan="2">种</th></tr>
<tr><th>中文名</th><th>拉丁名</th></tr>
<tr><td colspan="5">一、苔藓植物</td></tr>
<tr><td>1</td><td>钱苔科</td><td>浮苔属</td><td>浮苔</td><td>Ricciocarpus natans</td></tr>
<tr><td>2</td><td>泥炭藓科</td><td>泥炭藓属</td><td>泥炭藓</td><td>Sphagnum palustre</td></tr>
<tr><td>3</td><td>葫芦藓科</td><td>葫芦藓属</td><td>葫芦藓</td><td>Funaria hygrometrica</td></tr>
<tr><td colspan="5">二、维管束植物</td></tr>
<tr><td colspan="5">(一)蕨类植物</td></tr>
<tr><td>1</td><td rowspan="2">木贼科</td><td rowspan="2">木贼属</td><td>笔管草</td><td>Equiestum debile</td></tr>
<tr><td>2</td><td>节节草</td><td>Equiestum ramosissima</td></tr>
<tr><td>3</td><td rowspan="2">紫萁科</td><td rowspan="2">紫萁属</td><td>紫萁</td><td>Osmunda japonica</td></tr>
<tr><td>4</td><td>华南紫萁</td><td>Osmunda vachellii</td></tr>
<tr><td>5</td><td rowspan="3">海金沙科</td><td rowspan="3">海金沙属</td><td>曲轴海金沙</td><td>Lygodium flexuosum</td></tr>
<tr><td>6</td><td>海金沙</td><td>Lygodium japonicum</td></tr>
<tr><td>7</td><td>小叶海金沙</td><td>Lygodium mcrophyllum</td></tr>
<tr><td>8</td><td>水蕨科</td><td>水蕨属</td><td>水蕨</td><td>Ceratopteris thalictroides</td></tr>
<tr><td>9</td><td>卤蕨科</td><td>卤蕨属</td><td>卤蕨</td><td>Acrostichum aureum</td></tr>
<tr><td>10</td><td>水龙骨科</td><td>骨牌蕨属</td><td>抱石莲</td><td>Lepidogrammitis drymoglossoides</td></tr>
<tr><td>11</td><td rowspan="2">苹科</td><td rowspan="2">苹属</td><td>南国田字草</td><td>Marsilea crenata</td></tr>
<tr><td>12</td><td>苹</td><td>Marsilea quadrifolia</td></tr>
<tr><td>13</td><td rowspan="2">槐叶苹科</td><td rowspan="2">槐叶苹属</td><td>勺叶槐叶苹</td><td>Salvinia cucullata</td></tr>
<tr><td>14</td><td>槐叶苹</td><td>Salvinia natans</td></tr>
<tr><td>15</td><td>满江红科</td><td>满江红属</td><td>满江红</td><td>Azolla imbricata</td></tr>
<tr><td colspan="5">(二)裸子植物</td></tr>
<tr><td>1</td><td rowspan="4">杉科</td><td>水松属</td><td>水松</td><td>Glyptostrobus pensilis</td></tr>
<tr><td>2</td><td>水杉属</td><td>*水杉</td><td>Metasequoia glyptostroboides</td></tr>
<tr><td>3</td><td rowspan="2">落羽杉属</td><td>*池杉</td><td>Taxodium ascendens</td></tr>
<tr><td>4</td><td>*落羽杉</td><td>Taxodium distichum</td></tr>
</table>

（续）

序号	科	属	种	
			中文名	拉丁名
（三）被子植物				
1	木麻黄科	木麻黄属	＊木麻黄	*Casuarina equisetifolia*
2	胡桃科	枫杨属	枫杨	*Pterocarya stenoptera*
3	杨柳科	柳属	＊垂柳	*Salix babylonica*
4			长梗柳	*Salix dunnii*
5			粤柳	*Salix mesnyi*
6			南川柳	*Salix rosthornii*
7			四子柳	*Salix tetrasperma*
8	桑科	榕属	对叶榕	*Ficus hispida*
9			榕树	*Ficus microcarpa*
10	川薹草科	飞瀑草属	飞瀑草	*Cladopus nymanii*
11	蓼科	蓼属	毛蓼	*Polygonum barbatum*
12			圆基长鬃蓼	*Polygonum longisetum* var. *rotundatum*
13			头花蓼	*Polygonum capitatum*
14			火炭母	*Polygonum chinense*
15			蓼子草	*Polygonum criopolitanum*
16			二歧蓼	*Polygonum dichotomum*
17			光蓼	*Polygonum glabrum*
18			长箭叶蓼	*Polygonum hastato-sagittatum*
19			水蓼（辣蓼）	*Polygonum hydropiper*
20			愉悦蓼	*Polygonum juncudum*
21			酸模叶蓼	*Polygonum lapathifolium*
22			绵毛酸模叶蓼	*Polygonum lapathifolium* var. *salicifoulium*
23			长鬃蓼	*Polygonum longisetum*
24			柔茎蓼	*Polygonum tenellum* var. *micranthum*
25			小蓼花	*Polygonum muricatum*
26			山谷蓼	*Polygonum nepalense*
27			红蓼	*Polygonum orientale*
28			腋花蓼	*Polygonum plebium*
29			簇蓼	*Polygonum posumbu*
30			掌叶蓼	*Polygonum pseudopalmatum*
31			短毛蓼	*Polygonum pubescens*
32			廊茵	*Polygonum senticosum*

（续）

序号	科	属	种	
			中文名	拉丁名
33	蓼科	蓼属	粗刺蓼	*Polygonum strigosum*
34			戟叶蓼	*Polygonum thunbergii*
35			香蓼	*Polygonum viscosum*
36		虎杖属	虎杖	*Reynoutria japonica*
37		酸模属	酸模	*Rumex acetosa*
38			皱叶酸模	*Rumex crispus*
39			羊蹄	*Rumex japonicus*
40			长刺酸模	*Rumex maritimus*
41	番杏科	粟米草属	簇花粟米草	*Mollugo oppositifolia*
42			粟米草	*Mollugo pentaphylla*
43			多棱粟米草	*Mollugo verticellata*
44		海马齿属	海马齿	*Sesuvium portulacastrum*
45		番杏属	番杏	*Tetragonia tetragonioides*
46	藜科	藜属	狭叶尖头叶藜	*Chenopodium acuminatum* ssp. *virgatum*
47		碱蓬属	南方碱蓬	*Suaeda maritima*
48	苋科	虾钳菜属	喜旱莲子草	*Alternanthera philoxeroides*
49			虾钳菜	*Alternanthera sessilis*
50		青葙属	青葙	*Celosia argentea*
51	毛茛科	毛茛属	禺毛茛(小回回蒜)	*Ranunculus cantoniesnsis*
52			毛茛	*Ranunculus japonicus*
53			石龙芮	*Ranunculus sceleratus*
54	睡莲科	莼属	莼菜	*Brasenia schreberi*
55		芡属	* 芡实	*Euryale ferox*
56		莲属	* 莲(荷花)	*Nelumbo nucifera*
57		萍蓬草属	萍蓬草	*Nuphar pumilum*
58		睡莲属	* 白睡莲	*Nymphaea alba*
59			* 红睡莲	*Nymphaea alba* var. *rubra*
60			* 蓝睡莲	*Nymphaea stellata*
61			睡莲	*Nymphaea tetragona*
62	金鱼藻科	金鱼藻属	金鱼藻	*Ceratophyllum demersum*
63	三白草科	裸蒴属	裸蒴	*Gymnotheca chinensis*
64		蕺菜属	蕺菜(鱼腥草)	*Houttuynia cordata*
65		三白草属	三白草	*Saururus chinensis*

（续）

序号	科	属	种	
			中文名	拉丁名
66	藤黄科	地耳草属	地耳草	*Hypericum japonicum*
67	十字花科	碎米荠属	碎米荠	*Cardamine hirsuta*
68		豆瓣菜属	豆瓣菜(西洋菜)	*Nastutium offcinale*
69		蔊菜属	广州蔊菜	*Rorippa cantoniensis*
70			风花菜	*Rorippa globosa*
71			蔊菜	*Rorippa indica*
72	虎耳草科	梅花草属	梅花草	*Parnassia palustris*
73			鸡眼梅花草	*Parnassia wightiana*
74		扯跟菜属	扯跟菜	*Pongamia chinense*
75	豆科	刀豆属	海刀豆	*Canavalia maritima*
76		鱼藤属	鱼藤	*Derris trifoliata*
77		水黄皮属	水黄皮	*Ponaamia pinnata*
78	大戟科	血桐属	血桐	*Macaranga tanarius*
79		大戟属	海滨大戟	*Euphorbia atoto*
80			飞扬草	*Euphorbia hirata*
81			通奶草	*Euphorbia hypericifolia*
82		海漆属	海漆	*Excoecaria agallocha*
83	凤仙花科	凤仙花属	华凤仙	*Impatiens chinensis*
84			绿萼凤仙花	*Impatiens chlorosepala*
85			鸭跖草状凤仙花	*Impatiens commelinoides*
86			水金凤	*Impatiens noli-tangera*
87			管花凤仙花	*Impatiens tubulosa*
88	大风子科	莿柊属	莿柊	*Scolopia chinensis*
89	堇菜科	鼠鞭草属	鼠鞭草	*Hybanthus enneaspermus*
90		堇菜属	戟叶堇菜	*Viola betonicifolia*
91			七星莲	*Viola diffusa*
92			长萼堇菜	*Viola inconspicua*
93			柔毛堇菜	*Viola principis*
94			堇菜	*Viola verecunda*
95	柽柳科	柽柳属	* 柽柳	*Tamarix chinensis*
96	沟繁缕科	田繁缕属	田繁缕	*Bergia ammannioides*
97			大叶田繁缕	*Bergia capensis*
98		沟繁缕属	三蕊沟繁缕	*Elatine triandra*

（续）

序号	科	属	种	
			中文名	拉丁名
99	千屈菜科	水苋菜属	耳基水苋	*Ammannia arenaria*
100			水苋菜	*Ammannia baccifera*
101			多花水苋	*Ammannia multiflora*
102			泽水苋	*Ammannia myriophylloides*
103		萼距花属	香膏萼距花	*Cuphea balsamona*
104		千屈菜属	绒毛千屈菜	*Lythrum salicaria* var. *tomentosum*
105		节节菜属	节节菜	*Rotala indica*
106			密花节节菜	*Rotala densiflora*
107			圆叶节节菜	*Rotala rotundifolia*
108	菱科	菱属	* 乌菱	*Trapa bicornis*
109			细果野菱	*Trapa maximowiczii*
110	桃金娘科	水翁属	水翁	*Cleistocalyx operculatus*
111		蒲桃属	蒲桃	*Syzygium jambos*
112	海桑科	海桑属	* 无瓣海桑	*Sonneratia apetala*
113			* 海桑	*Sonneratia caseolaris*
114	玉蕊科	玉蕊属	玉蕊	*Barringtonia racemosa*
115	红树科	木榄属	木榄	*Bruguiera gymnorrhiza*
116			* 海莲	*Bruguiera sexangula*
117		角果木属	角果木	*Ceriops tagal*
118		秋茄树属	秋茄树	*Kandelia candel*
119		红树属	红海榄(红海兰)	*Rhizophora stylosa*
120	使君子科	拉关木属	* 拉关木(拉贡木)	*Laguncularia racemosa*
121		榄李属	* 红榄李	*Lumnitzera littorea*
122			榄李	*Lumnitzera racemosa*
123	柳叶菜科	柳叶菜属	光滑柳叶菜	*Epilobium amurense* subsp. *cephalostigma*
124			腺茎柳叶菜	*Epilobium brevifolium* subsp. *trichoneurum*
125			柳叶菜	*Epilobium hirsutum*
126			长籽柳叶菜	*Epilobium pyrricholophum*
127		丁香蓼属	水龙	*Ludwigia adscendens*
128			假柳叶菜	*Ludwigia epilobioides*
129			草龙	*Ludwigia hyssopifolia*
130			毛草龙	*Ludwigia octovalvis*
131			卵叶丁香蓼	*Ludwigia ovalis*

（续）

序号	科	属	种	
			中文名	拉丁名
132	柳叶菜科	丁香蓼属	细花丁香蓼	*Ludwigia perennis*
133			丁香蓼	*Ludwigia prostrata*
134			台湾水龙	*Ludwigia* × *taiwanensis*
135		月见草属	海边月见草	*Oenothera drummundii*
136			裂叶月见草	*Oenothera laciniata*
137	小二仙草科	小二仙草属	黄花小二仙草	*Haloragis chinensis*
138			小二仙草	*Haloragis micratha*
139		狐尾藻属	＊粉绿狐尾藻	*Myriophyllum aquaticum*
140			矮狐尾藻	*Myriophyllum intermedium*
141			狐尾藻(穗花狐尾藻)	*Myriophyllum spicatum*
142			轮叶狐尾藻	*Myriophyllum verticillatum*
143	伞形科	珊瑚菜属	珊瑚菜	*Glehnia littoralis*
144		水芹属	少花水芹	*Oenanthe benghalensis*
145			西南水芹	*Oenanthe dielsii*
146			水芹	*Oenanthe javanica*
147			卵叶水芹	*Oenanthe rosthornii*
148	仙人掌科	仙人掌属	仙人掌	*Opuntia dillenii*
149	猪笼草科	猪笼草属	猪笼草	*Nepenthes mirabilis*
150	茅膏菜科	茅膏菜属	锦地罗	*Drosera burmannii*
151			长叶茅膏菜	*Drosera indica*
152			长柱茅膏菜	*Drosera oblanceolata*
153			光萼茅膏菜	*Drosera peltata* var. *glabrata*
154			叉梗茅膏菜	*Drosera rotundifolia* var. *furcata*
155			宽苞茅膏菜	*Drosera spathulata* var. *loureirii*
156	鼠李科	马甲子属	马甲子	*Paliurus ramosissimus*
157	锦葵科	木槿属	黄槿	*Hibiscus tiliaceus*
158		肖槿属	杨叶肖槿	*Thespesia populnea*
159	梧桐科	银叶树属	银叶树	*Heritiera littoralis*
160	紫金牛科	蜡烛果属	桐花树(蜡烛果)	*Aegiceras corniculatum*
161	报春花科	琉璃繁缕属	琉璃繁缕	*Anagallis coerulea*
162		珍珠菜属	泽珍珠草	*Lysimachia candida*
163			星宿草	*Lysimachia fortunei*

（续）

序号	科	属	种	
			中文名	拉丁名
164	龙胆科	荇菜属	水皮莲	*Nymphoides cristata*
165			金银莲花	*Nymphoides indica*
166	夹竹桃科	海芒果属	海芒果	*Cerbera manghas*
167	茜草科	水团花属	水团花	*Adina pilulifera*
168		耳草属	海岛耳草	*Hedyotia coreana*
169			伞房花耳草	*Hedyotia corymbosa*
170			白花蛇舌草	*Hedyotia diffusa*
171			粗叶耳草	*Hedyotia verticillata*
172	旋花科	打碗花属	打碗花	*Calystegia hederacea*
173		马蹄金属	马蹄金	*Dichondra micrantha*
174		牵牛属	*蕹菜	*Ipomoea aquatica*
175			七爪龙	*Ipomoea digitata*
176			厚藤	*Ipomoea pcs-caprae*
177			海滩牵牛	*Ipomoea stolonifera*
178		盒果藤属	盒果藤	*Operculina turpethum*
179	田基麻科	田基麻属	田基麻	*Hydrolea zeylanica*
180	马鞭草科	海榄雌属	白骨壤	*Avicennia marina*
181		大青属	假茉莉（许树、苦郎树）	*Clerodendrum inerme*
182		过江藤属	过江藤	*Phyla nodiflora*
183		豆腐柴属	钝叶臭黄荆	*Premna obtusifolia*
184		牡荆属	蔓荆	*Vitex trifolia*
185			单叶蔓荆	*Vitex trifolia* var. *simplicifolia*
186			异叶蔓荆	*Vitex trifolia* var. *subtrisecta*
187	水马齿科	水马齿属	广东水马齿	*Callitriche oryzetorum*
188			沼生水马齿	*Callitriche palustris*
189	唇形科	水虎尾属	水虎尾	*Dysophylla stellata*
190			齿叶水蜡烛	*Dysophylla sampsonii*
191		刺蕊草属	水珍珠菜	*Pogostemon auricularius*
192	玄参科	假马齿苋	麦花草	*Bacopa floribunda*
193			假马齿苋	*Bacopa monnicri*
194		虻眼属	虻眼	*Dopatricum juuceum*
195		水八角属	黄花水八角	*Gratiola griffithii*
196			白花水八角	*Gratiola japonica*

（续）

序号	科	属	种	
			中文名	拉丁名
197	玄参科	三翅萼属	三翅萼	*Legazpia polygonoides*
198		石龙尾属	紫苏草	*Limnophila aromatica*
199			中华石龙尾	*Limnophila chinensis*
200			抱茎石龙尾	*Limnophila connata*
201			直立石龙尾	*Limnophila erecta*
202			异叶石龙尾	*Limnophila heterophylla*
203			大叶石龙尾	*Limnophila rugosa*
204			石龙尾	*Limnophila sessiliflora*
205		母草属	长蒴母草	*Lindernia anagallis*
206			狭叶母草	*Lindernia angustifolia*
207			泥花草	*Lindernia antipoda*
208			刺齿泥花草	*Lindernia ciliata*
209			母草	*Lindernia crustacea*
210			尖果母草	*Lindernia hyssopioides*
211			红骨草	*Lindernia montana*
212			棱萼母草	*Lindernia obonga*
213			陌上菜	*Lindernia procumbens*
214			细茎母草	*Lindernia pusilla*
215			旱田草	*Lindernia ruellioides*
216			细叶母草	*Lindernia tenuifolia*
217			粘毛母草	*Lindernia vicosa*
218		通泉草属	通泉草	*Mazus japonicus*
219		小果草属	小果草	*Microcarpaea minima*
220		蝴蝶草属	毛叶蝴蝶草	*Torenia benthamiana*
221			二花蝴蝶草	*Torenia biniflora*
222			单色蝴蝶草	*Torenia concolor*
223			黄花蝴蝶草	*Torenia flava*
224			紫斑蝴蝶草	*Torenia fordii*
225			蓝猪耳	*Torenia fournieri*
226			光叶蝴蝶草	*Torenia glabra*
227			紫萼蝴蝶草	*Torenia violacea*
228		婆婆纳属	多枝婆婆纳	*Veronica javanica*
229			水苦荬	*Veronica undulata*

（续）

序号	科	属	种	
			中文名	拉丁名
230	爵床科	老鼠簕属	小花老鼠簕	*Acanthus ebracteatus*
231			老鼠簕	*Acanthus ilicifolius*
232		水蓑衣属	大花水蓑衣	*Hygrophila megalantha*
233			水蓑衣	*Hygrophila salicifolia*
234	胡麻科	茶菱属	茶菱	*Trapella sinensis*
235	狸藻科	狸藻属	黄花狸藻	*Utricularia aurea*
236			挖耳草	*Utricularia bifida*
237			短梗挖耳草（密花狸藻）	*Utricularia caerulea*
238			少花狸藻	*Utricularia exoleta*
239			长梗挖耳草	*Utricularia limosa*
240			圆叶挖耳草（圆叶狸藻）	*Utricularia striatula*
241			齿萼挖耳草（蓝花狸藻）	*Utricularia uliginosa*
242	苦槛蓝科	苦槛蓝属	苦槛蓝	*Myoporum bontioides*
243	桔梗科	半边莲属	棱茎半边莲	*Lobelia alsinoides*
244			半边莲	*Lobelia chinensis*
245			疏毛半边莲	*Lobelia zeylanica*
246		尖瓣花属	尖瓣花	*Sphenoclea zeylanica*
247	草海桐科	离根香属	离根香（美柱草）	*Calogyne pilosa*
248		草海桐属	海南草海桐	*Scaevola hainanensis*
249			草海桐	*Scaevola sericea*
250	花柱草科	花柱草属	花柱草	*Stylidium uliginosum*
251	菊科	下田菊属	下田菊	*Adenostemma lavenia*
252		石胡荽属	石胡荽	*Centipeda minima*
253		山莞荽属	山莞荽	*Cotula anthemoides*
254		鱼眼草属	鱼眼草	*Dichrocephala integrifolia*
255		鳢肠属	鳢肠	*Eclipta prostrata*
256		沼菊属	沼菊	*Enydra fluctuans*
257		球菊属	球菊	*Epaltes australis*
258		菊芹属	梁子菜	*Erechtites hieracifolia*
259			菊芹	*Erechtites valerianaefolia*
260		鼠麴草属	鼠麴草	*Gnaphalium affine*
261		田基黄属	田基黄	*Grangea maderaspatana*
262		泥胡菜属	泥胡菜	*Hemistepta lyrata*

（续）

序号	科	属	种	
			中文名	拉丁名
263	菊科	苦荬菜属	苦荬菜	*Ixeris denticulata*
264			深裂苦荬菜	*Ixeris dissecta*
265			剪刀股	*Ixeris japonica*
266			匍匐苦荬菜	*Ixeris repens*
267		稻搓菜属	稻搓菜	*Lapsana apogonoides*
268		栓果菊属	蔓茎栓果菊	*Launaea sarmentosa*
269		阔苞菊属	阔苞菊	*Pluchea indica*
270			光梗阔苞菊	*Pluchea pteropoda*
271		羽芒菊属	羽芒菊	*Tridax procumbens*
272		蟛蜞菊属	孪生蟛蜞菊	*Wedelia biflora*
273			蟛蜞菊	*Wedelia chinensis*
274			卤地菊	*Wedelia prostrata*
275		黄鹌菜属	黄鹌菜	*Youngia japonica*
276			卵裂黄鹌菜	*Youngia pseudosenecio*
277	泽泻科	泽泻属	窄叶泽泻	*Alisma canaliculatum*
278			东方泽泻	*Alisma orientale*
279			＊泽泻	*Alisma plantago-aquatica*
280		泽薹草属	宽叶泽薹草	*Caldesia grandis*
281		慈姑属	冠果草	*Sagittaria guayanensis* subsp. *lappula*
282			利川慈姑	*Sagittaria lichuansensis*
283			小慈姑	*Sagittaria potamogetifolia*
284			矮慈姑	*Sagittaria pygmaea*
285			野慈姑	*Sagittaria trifolia*
286			长瓣慈姑（剪刀草）	*Sagittaria trifolia* f. *longiloba*
287			＊慈姑	*Sagittaria trifolia* var. *sinensis*
288	水鳖科	水筛属	无尾水筛	*Blyxa aubertii*
289			有尾水筛	*Blyxa echinosperma*
290			水筛	*Blyxa japonica*
291			光滑水筛	*Blyxa leiosperma*
292			八药水筛	*Blyxa octandra*
293		喜盐草属	贝克喜盐草	*Halophila beccarii*
294			卵叶喜盐草	*Halophila ovalis*
295		黑藻属	黑藻	*Hydrilla verticillata*

（续）

序号	科	属	种	
			中文名	拉丁名
296	水鳖科	黑藻属	罗氏轮叶黑藻	*Hydrilla verticillata* var. *roxburghii*
297		水鳖属	水鳖	*Hydrocharis dubia*
298		虾子草属	虾子草	*Nechamandra alternifolia*
299		水车前属	龙舌草	*Ottelia alismoides*
300			巴氏海带花	*Ottelia balansae*
301		苦草属	密刺苦草	*Vallisneria denseserrulata*
302			苦草	*Vallisneria natans*
303	水蕹科	水蕹属	水蕹（田干菜）	*Aponogeton lakhonensis*
304	眼子菜科	眼子菜属	菹草	*Potamogeton crispus*
305			鸡冠眼子菜	*Potamogeton cristatus*
306			眼子菜	*Potamogeton distinctus*
307			微齿眼子菜	*Potamogeton maackianus*
308			竹叶眼子菜（马来眼子菜）	*Potamogeton malaianus*
309			浮水眼子菜	*Potamogeton natans*
310			钝脊眼子菜（南方眼子菜）	*Potamogeton octandrus* var. *miduhikimo*
311			小眼子菜	*Potamogeton pusillus*
312		川蔓藻属	川蔓藻	*Ruppia maritima*
313		针叶藻属	针叶藻	*Syringodium isoetifolium*
314	茨藻科	茨藻属	细茨藻	*Najas gracillima*
315			草茨藻	*Najas graminea*
316			大茨藻	*Najas marina*
317			小茨藻	*Najas minor*
318			东方茨藻	*Najas orientalis*
319	石蒜科	文珠兰属	文珠兰	*Crinum asiaticum* var. *sinicum*
320	雨久花科	凤眼莲属	凤眼莲	*Eichhornia crassipes*
321		雨久花属	箭叶雨久花	*Monochoria hastata*
322			鸭舌草	*Monochoria vaginalis*
323		梭鱼草属	＊梭鱼草	*Pontederia cordata*
324	田葱科	田葱属	田葱	*Philydrum lanuginosum*
325	灯心草科	灯心草属	翅茎灯心草	*Juncus alatus*
326			小灯心草	*Juncus bufonius*
327			星花灯心草	*Juncus diastrophanthus*
328			灯心草	*Juncus effuses*
329			笄石菖	*Juncus prismatocarpus*
330			野灯心草	*Juncus setchuensis*

（续）

序号	科	属	种	
			中文名	拉丁名
331	鸭跖草科	鸭跖草属	耳苞鸭跖草	*Commelina auriculata*
332			饭包草	*Commelina bengalensis*
333			鸭跖草	*Commelina communis*
334			竹节草	*Commelina diffiusa*
335			大苞鸭跖草	*Commelina paludosa*
336		聚花草属	聚花草	*Floscopa scandens*
337		水竹叶属	大苞水竹叶	*Murdannia bracteata*
338			根茎水竹叶	*Murdannia hookeri*
339			狭叶水竹叶	*Murdannia kainantensis*
340			牛轭草	*Murdannia loriformis*
341			大果水竹叶	*Murdannia macrocarpa*
342			少叶水竹叶	*Murdannia medica*
343			裸花水竹叶	*Murdannia nudiflora*
344			细竹篙草	*Murdannia simplex*
345			矮水竹叶	*Murdannia spirata*
346			水竹叶	*Murdannia triquetra*
347			细柄水竹叶	*Murdannia vaginata*
348	黄眼草科	黄眼草属	中国黄眼草	*Xyris bancana*
349			硬叶葱草	*Xyris complanata*
350			黄眼草	*Xyris indica*
351			葱草	*Xyris pauciflora*
352	谷精草科	谷精草属	毛谷精草	*Eriocaulon australe*
353			云南谷精草	*Eriocaulon brownianum*
354			谷精草	*Eriocaulon buergerianum*
355			白药谷精草	*Eriocaulon cinereum*
356			长苞谷精草	*Eriocaulon decemflorum*
357			尖苞谷精草	*Eriocaulon echinulatum*
358			光瓣谷精草	*Eriocaulon glabripetalum*
359			小谷精草	*Eriocaulon luzulifolium*
360			南投谷精草	*Eriocaulon nantoense*
361			尼泊尔谷精草	*Eriocaulon nepalense*
362			丝叶谷精草	*Eriocaulon setaceum*
363			华南谷精草	*Eriocaulon sexangulare*
364			硬叶谷精草	*Eriocaulon sclerophyllum*
365			越南谷精草	*Eriocaulon tonkiense*
366			珍珠草	*Eriocaulon truncatum*

（续）

序号	科	属	种	
			中文名	拉丁名
367	棕榈科	椰子属	＊椰子	*Cocos nucifera*
368		蒲葵属	蒲葵	*Livistona chinensis*
369	天南星科	菖蒲属	菖蒲	*Acorus calamus*
370			金钱蒲	*Acorus gramineus*
371			石菖蒲	*Acorus tatarinowii*
372		海芋属	尖尾芋(假海芋)	*Alocasia cucullata*
373			海芋	*Alocasia macrorrhiza*
374		芋属	野芋	*Colocasia antiquorum*
375			＊芋	*Colocasia esculenta*
376			大野芋	*Colocasia gigantea*
377		隐棒花属	隐棒花	*Cryptocoryne retrospiralis*
378		刺芋属	刺芋	*Lasia spinosa*
379		大薸属	大薸(水浮莲)	*Pistia stratiotes*
380		犁头尖属	犁头尖	*Typhoniam bumei*
381			鞭檐犁头尖	*Typhoniam flagelliforme*
382	浮萍科	浮萍属	浮萍	*Lemna minor*
383			品萍	*Lemna trisulca*
384		紫萍属	紫萍	*Spirodela polyrrhiza*
385		无根萍属	无根萍	*Wolffia arrhiza*
386	露兜树科	露兜树属	露兜簕	*Pandanus tectorius*
387	黑三棱科	黑三棱属	曲轴黑三棱	*Sparganium fallax*
388	香蒲科	香蒲属	水烛	*Typha augustifolia*
389			香蒲	*Typha orientalis*
390	莎草科	球柱草属	球柱草	*Bulbostylis barbata*
391			丝叶球柱草	*Bulbostylis densa*
392			毛鳞球柱草	*Bulbostylis puberula*
393		薹草属	广东薹草	*Carex adrienii*
394			青绿薹草	*Carex breviculmis*
395			中华薹草	*Carex chinensis*
396			缘毛薹草	*Carex craspedotricha*
397			十字薹草	*Carex cruciata*
398			隐穗薹草	*Carex cryptostachys*
399			长穗薹草	*Carex dolichostachya*

（续）

序号	科	属	种	
			中文名	拉丁名
400	莎草科	薹草属	藤状薹草	*Carex filicina*
401			穹隆薹草	*Carex gibba*
402			长囊薹草	*Carex harlandii*
403			斑点果薹草	*Carex maculata*
404			肿喙薹草	*Carex oedorrhampha*
405			镜子薹草	*Carex phacota*
406			凤凰山薹草	*Carex phoenicus*
407			弥勒山薹草	*Carex pseudo-laticeps*
408			矮生薹草	*Carex pumila*
409			松叶薹草	*Carex rara*
410			褐绿薹草	*Carex stipitinux*
411			芒尖薹草	*Carex tenebrosa*
412			短叶薹草	*Carex wichurai*
413		一本芒属	一本芒	*Cladium mariscus* subsp. *jamaicense*
414		莎草属	褐穗莎草	*Cyperus castaneus*
415			扁穗莎草	*Cyperus compressus*
416			长尖莎草	*Cyperus cuspidatus*
417			异型莎草	*Cyperus difformis*
418			移穗莎草	*Cyperus eleusinoides*
419			畦畔莎草	*Cyperus haspan*
420			软垂莎草	*Cyperus haspan* subsp. *juncoides*
421			迭穗莎草	*Cyperus imbricatus*
422			＊风车草	*Cyperus involucratus*
423			碎米莎草	*Cyperus iria*
424			绿穗莎草	*Cyperus laxus*
425			茳芏	*Cyperus malaccensis*
426			短叶茳芏	*Cyperus malaccensis* var. *monophyllus*
427			旋鳞莎草	*Cyperus michelianus*
428			具芒碎米莎草	*Cyperus microiria*
429			毛轴莎草	*Cyperus pilosus*
430			阔穗莎草	*Cyperus procerus*
431			矮莎草	*Cyperus pygmaeus*
432			粗根茎莎草	*Cyperus stoloniferus*

（续）

序号	科	属	种	
			中文名	拉丁名
433	莎草科	莎草属	细茎莎草	*Cyperus tenuiculmis*
434		裂颖茅属	裂颖茅	*Diplacrum caricinum*
435		荸荠属	毛毡草	*Eleocharis acicularis*
436			紫果荸荠	*Eleocharis atropurpurea*
437			密花荸荠	*Eleocharis congesta*
438			荸荠	*Eleocharis dulcis*
439			木贼状荸荠	*Eleocharis equisetina*
440			假马蹄	*Eleocharis ochrostachys*
441			贝壳叶荸荠	*Eleocharis retroflexa*
442			螺旋鳞荸荠	*Eleocharis spiralis*
443			龙师草	*Eleocharis tetraquetra*
444		飘拂草属	披针穗飘拂草	*Fimbristylis acuminata*
445			夏飘拂草	*Fimbristylis aestivalis*
446			宜昌飘拂草	*Fimbristylis henryi*
447			复序飘拂草	*Fimbristylis bisumbellata*
448			矮扁鞘飘拂草	*Fimbristylis consanguinea*
449			黑果飘拂草	*Fimbristylis cymosa*
450			两岐飘拂草	*Fimbristylis dichotoma*
451			拟二叶飘拂草	*Fimbristylis diphylloides*
452			起绒飘拂草	*Fimbristylis dipsacea*
453			二列飘拂草	*Fimbristylis disticha*
454			扁鞘飘拂草	*Fimbristylis complanata*
455			锈鳞飘拂草	*Fimbristylis ferruginea*
456			矮茎飘拂草	*Fimbristylis fimbristyloides*
457			暗褐飘拂草	*Fimbristylis fusca*
458			罗浮飘拂草	*Fimbristylis hookeriana*
459			广东飘拂草	*Fimbristylis kwangtungensis*
460			细茎飘拂草	*Fimbristylis leptoclada*
461			长穗飘拂草	*Fimbristylis longispica*
462			长柄果飘拂草	*Fimbristylis longistipitata*
463			五棱飘拂草	*Fimbristylis miliacea*
464			褐鳞飘拂草	*Fimbristylis nigrobrunnea*
465			垂穗飘拂草	*Fimbristylis nutans*

（续）

序号	科	属	种	
			中文名	拉丁名
466	莎草科	飘拂草属	独穗飘拂草	*Fimbristylis ovata*
467			少花飘拂草	*Fimbristylis pauciflora*
468			细叶飘拂草	*Fimbristylis polytrichoides*
469			绢毛飘拂草	*Fimbristylis sericea*
470			双穗飘拂草	*Fimbristylis subbispicata*
471			四棱飘拂草	*Fimbristylis tetragona*
472			西南飘拂草	*Fimbristlis thomsonii*
473			华飘拂草	*Fimbristylis thouarsii*
474			三穗飘拂草	*Fimbristylis tristachya*
475			球穗飘拂草	*Fimbristylis umbellaris*
476			短尖飘拂草	*Fimbristylis velata*
477		异花草属	毛异花草	*Fuirena cillaris*
478			异花草	*Fuirena umbellata*
479		水莎草属	水莎草	*Juncellus serotinus*
480			广东水莎草	*Juncellus serotinus* var. *inundatus*
481		水蜈蚣属	水蜈蚣	*Kyllinga brevifolia*
482			黑籽水蜈蚣	*Kyllinga melanosperma*
483			猴子草	*Kyllinga nemoralis*
484			三头水蜈蚣	*Kyllinga triceps*
485		鳞子莎属	鳞籽莎	*Lepidosperma chinense*
486		蒲草属	*蒲草	*Lepironia articulata*
487		湖瓜草属	华湖瓜草	*Lipocarpha chinensis*
488			湖瓜草	*Lipocarpha microcephala*
489		擂鼓艻属	短茎擂鼓艻	*Mapania wallichii*
490		砖子苗属	密穗砖子苗	*Mariscus compactus*
491			莎草转子苗	*Mariscus cyperinus*
492			羽穗砖子苗	*Mariscus javanicus*
493			辐射砖子苗	*Mariscus radians*
494			多花砖子苗	*Mariscus radians* var. *floribundus*
495			三翅杆砖子苗	*Mariscus trialatus*
496		扁莎属	球穗扁莎	*Pycreus flavidus*
497			多穗扁莎	*Pycreus polystachyos*
498			短多穗扁莎	*Pycreus polystachyos* var. *brevispiculatus*

（续）

序号	科	属	种	
			中文名	拉丁名
499	莎草科	扁莎属	矮扁莎	*Pycreus pumilus*
500			红鳞扁莎	*Pycreus sanguinolentus*
501			宽穗红鳞扁莎	*Pycreus sanguinolentus* var. *korshinskii*
502		海滨莎属	海滨莎	*Remirea maritima*
503		刺子莞属	伞房次子莞	*Rhynchospora corymbosa*
504			细叶次子莞	*Rhynchospora faberi*
505			柔弱次子莞	*Rhynchospora gracilima*
506			日本次子莞	*Rhynchospora malasica*
507			皱果次子莞	*Rhynchospora rugosa*
508		珍珠茅属	小型珍珠茅	*Scleria parvula*
509			高杆珍珠茅	*Scleria terrestris*
510		藨草属	细梗藨草	*Scirpus filipes*
511			硕大藨草	*Scirpus grossus*
512			萤蔺	*Scirpus juncoides*
513			南水葱	*Scirpus lacustirs* subsp. *validus*
514			线状藨草	*Scirpus lineolatus*
515			三棱杆藨草	*Scirpus mattfeldianus*
516			水毛花	*Scirpus mucronatus*
517			百球藨草	*Scirpus rosthornii*
518			毛球藨草	*Scirpus squarrosus*
519			类头状花序藨草	*Scirpus subcapitatus*
520			猪毛草	*Scirpus wallichii*
521			茸球藨草	*Scirpus wichurai*
522	芭蕉科	芭蕉属	野蕉	*Musa balbisiana*
523	竹芋科	水竹芋属	*水竹芋(再力花)	*Thalia dealbata*
524			*垂花水竹芋	*Thalia geniculata*
525	禾本科	看麦娘属	看麦娘	*Alopecurus aequalis*
526			日本看麦娘	*Alopecurus japonicus*
527		水蔗草属	水蔗草	*Apluda mutica*
528		芦竹属	芦竹	*Arundo donax*
529		簕竹属	撑篙竹	*Bambusa pervariabilis*
530			青皮竹	*Bambusa textilis*
531			青竿竹	*Bambusa tuldoides*

（续）

序号	科	属	种	
			中文名	拉丁名
532	禾本科	茵草属	茵草	*Beckmannia syziachne*
533		蒺藜草属	蒺藜草	*Cenchrus echinatus*
534		虎尾草属	虎尾草	*Chloris virgata*
535		金须茅属	金须茅	*Chrysopogon orientalis*
536			香根草	*Chrysopogon zizanioides*
537		薏苡属	薏苡	*Coix lacryma-jobi*
538		狗牙根属	狗牙根	*Cynodon dactylon*
539		龙爪茅属	龙爪茅	*Dactyloctenium aegyptium*
540		马唐属	二型马唐	*Digitaria heterantha*
541		稗属	光头稗	*Echinochloa colona*
542			稗	*Echinochloa crusgalli*
543			长芒稗	*Echinochloa caudate*
544			小旱稗	*Echinochloa crusgalli* var. *austrojaponensis*
545			短芒稗	*Echinochloa crusgalli* var. *breviseta*
546			无芒稗	*Echinochloa crusgalli* var. *mitis*
547			西来稗	*Echinochloa crusgalli* var. *zelayensis*
548			孔雀稗	*Echinochloa cruspavonis*
549			硬稃稗	*Echinochloa glabrescens*
550			旱稗	*Echinochloa hispidula*
551			水田稗	*Echinochloa oryzoides*
552		移属	牛筋草	*Eleusine indica*
553		画眉草属	鼠妇草	*Eragrostis atrovirens*
554			鲫鱼草	*Eragrostis tenella*
555		蜈蚣草属	假俭草	*Eremochloa ophiuroides*
556		牛鞭草属	扁穗牛鞭草	*Hemarthria compressa*
557		水禾属	水禾	*Hygroryza aristata*
558		膜稃草属	膜稃草	*Hymenachne amplexicaulis*
559		柳叶箬属	柳叶箬	*Isachne globosa*
560		鸭嘴草属	田间鸭嘴草	*Ischaemum rugosum*
561		假稻属	李氏禾	*Leersia hexandra*
562			秕壳草	*Leersia sayanuka*
563		千金子属	千金子	*Leptochloa chinensis*
564			虮子草	*Leptochloa panicea*

（续）

序号	科	属	种	
			中文名	拉丁名
565	禾本科	箣竹属	粉箪竹	*Lingnania chunii*
566		类芦属	望冬草	*Neyraudia arundinacea*
567			类芦	*Neyraudia reynaudiana*
568		稻属	光稃稻	*Oryza glaberrima*
569			疣粒稻	*Oryza meyeriana* subsp. *granulata*
570			药用野生稻	*Oryza offcinalis*
571			野生稻	*Oryza rufipogon*
572			＊稻	*Oryza sativa*
573		露籽草属	露籽草	*Ottochloa nodosa*
574			小花露籽草	*Ottochloa nodosa* var. *micrantha*
575		黍属	洋野黍	*Panicum dichotomiflorum*
576			铺地黍	*Panicum repens*
577		雀稗属	两耳草	*Paspalum conjugatum*
578			双穗雀稗	*Paspalum distichum*
579			鸭乸草	*Paspalum scrobiculatum*
580			雀稗	*Paspalum thunbergii*
581		狼尾草属	狼尾草	*Pennisetum alopecuroides*
582			象草	*Pennisetum purpureum*
583		虉草属	虉草	*Phalaris arundinacea*
584		芦苇属	芦苇	*Phragmites australis*
585			卡开芦	*Phragmites karka*
586		早熟禾属	早熟禾	*Poa annula*
587		伪针茅属	长稃伪针茅	*Pseudoraphis balansae*
588			伪针茅	*Psedoraphis brunoniana*
589		茶秆竹属	茶秆竹	*Pseudosasa amabilis*
590		甘蔗属	斑茅	*Saccharum arundinaceum*
591			甜根子草	*Saccharum spontaneum*
592		囊颖草属	囊颖草	*Sacciolepis indica*
593			鼠尾囊颖草	*Sacciolepis myosuroides*
594		大米草属	大米草	*Spartina anglica*
595		稗荩属	稗荩	*Sphaerocaryum malaccense*
596		鬣刺属	老鼠艻	*Spinifex littoreus*
597		鼠尾粟属	盐地鼠尾粟	*Sporobolus virgincus*

（续）

序号	科	属	种	
			中文名	拉丁名
598	禾本科	蒭雷草属	蒭雷草	*Thuarea involuta*
599		菰属	*菰	*Zizania latifolia*
600		结缕草属	沟叶结缕草	*Zoysia matrella*
601			中华结缕草	*Zoysia sinica*

附录2 广东湿地调查区域动物名录

序号	目	科	种	
			中文名	拉丁名
一、鱼 类				
1	鲼形目	魟科	赤魟	*Dasyatis akajei*
2	海鲢目	海鲢科	海鲢	*Elops saurus*
3		大海鲢科	大海鲢	*Megalops cyprinoides*
4	鲟形目	鲟科	中华鲟	*Acipenser sinensis*
5	七鳃鳗目	七鳃鳗科	日本七鳃鳗	*Lampetra japonica*
6	鲱形目	鲱科	中华青鳞鱼	*Harengula nymphaea*
7			斑鰶	*Konosirus punctatus*
8			花鰶	*Konosirus thrissa*
9			裘氏小沙丁鱼	*Sardinella jussieu*
10			鲥	*Tenualosa reevesii*
11			鳓	*Ilisha elongata*
12		鳀科	中华小公鱼	*Auchoviella chinensis*
13			尖吻小公鱼	*Auchoviella heteroloba*
14			印度小公鱼	*Auchoviella indica*
15			青带小公鱼	*Auchoviella zollingeri*
16			七丝鲚	*Coilia grayi*
17			刀鲚	*Coilia nasus*
18			黄鲫	*Setipinna taty*
19			杜氏棱鳀	*Thryssa dussumieri*
20			赤鼻棱鳀	*Thryssa kammalensis*
21			中颌棱鳀	*Thryssa mystax*
22			黄吻棱鳀	*Thryssa vitirostris*
23	鲑形目	银鱼科	白肌银鱼	*Leucosoma chinensis*
24			陈氏新银鱼	*Neosalan tangkahkei*
25			居氏银鱼	*Salanx cuvieri*
26			尖头银鱼	*Salanx acuticeps*
27	鳗鲡目	鳗鲡科	日本鳗鲡	*Anguilla japonica*
28			花鳗鲡	*Anguilla marmorata*
29			乌耳鳗鲡	*Anguilla nigricans*
30		蚓鳗科	大头蚓鳗	*Moringua macrocephalus*

（续）

序号	目	科	种	
			中文名	拉丁名
31	鳗鲡目	蠕鳗科	裸鳍虫鳗	*Muraenichthys gymnopterus*
32			马六甲虫鳗	*Muraenichthys malabonensis*
33		蛇鳗科	中华须鳗	*Cirrhimuraena chinensis*
34			尖吻蛇鳗	*Ophichthus apicalis*
35			杂食豆齿鳗	*Pisodonophis boro*
36			食蟹豆齿鳗	*Pisodonophis cancrivorous*
37			长鳍喉鳃鳗	*Sphagebranchus longipinni*
38		海鳗科	海鳗	*Muraenesox cinereus*
39			鹤海鳗	*Muraenesox talabonoides*
40		海鳝科	斑条裸胸鳝	*Gymnothorax punctatofasciata*
41			裸胸鳝	*Gymnothorax* sp.
42			云纹海鳝	*Echidna nebulosa*
43	仙女鱼目	狗母鱼科	龙头鱼	*Harpodon nehereus*
44			多齿蛇鲻	*Saurida tumbil*
45			花斑蛇鲻	*Saurida undosquamis*
46			大头狗母鱼	*Trachinocephalus myops*
47	鲤形目	鲤科	棒花鱼	*Abbottina rivularis*
48			短须鱊	*Acheilognathus barbatus*
49			兴凯刺鳑鲏	*Acheilognathus chankaensis*
50			大鳍刺鳑鲏	*Acheilognathus macropterus*
51			越南刺鳑鲏	*Acheilognathus tonkinensis*
52			北江光唇鱼	*Acrossocheilus beijiangensis*
53			多耙光唇鱼	*Acrossocheilus clivosius*
54			细身光唇鱼	*Acrossocheilus elingatus*
55			半刺光唇鱼	*Acrossocheilus hemispinus*
56			大鳞光唇鱼	*Acrossocheilus ikedai*
57			虹彩光唇鱼	*Acrossocheilus iridescens iridescens*
58			长鳍虹彩光唇鱼	*Acrossocheilus iridescens longipinnis*
59			厚唇光唇鱼	*Acrossocheilus labiatus*
60			侧条光唇鱼	*Acrossocheilus parallens*
61			拟细身光唇鱼	*Acrossocheilus rendahli*
62			温州光唇鱼	*Acrossocheilus wenchowensis*
63			鳙	*Aristichthys nobilis*

（续）

序号	目	科	种	
			中文名	拉丁名
64	鲤形目	鲤科	鲫	*Carassius auratus*
65			须鲫	*Carassius cantonensis*
66			鲮鱼	*Cirrhina molitorella*
67			草鱼	*Ctenopharyngodon idellus*
68			红鳍鲌	*Culter erythroculter*
69			尖鳍鲤	*Cyprinus acutidorsalis*
70			鲤	*Cyprinus capio*
71			四须盘鮈	*Discogobio tetrabarbatus*
72			圆吻鲴	*Distoechodon tumirostris*
73			鳡鱼	*Elopichthys bambusa*
74			梢红鲌	*Erythroculter dabryi*
75			大眼红鲌	*Erythroculter hypselonotus*
76			翘嘴红鲌	*Erythroculter ilishaeformis*
77			蒙古红鲌	*Erythroculter mongolicus*
78			海南红鲌	*Erythroculter recurviceps*
79			海南墨头鱼	*Garra pingi hainanensisi*
80			东方墨头鱼	*Garra pingi orientalis*
81			海南鳅鮀	*Gobiobotia kolleri*
82			南方长须鳅鮀	*Gobiobotia longibarba meridionalis*
83			海南䱗	*Hainania serrata*
84			唇䱻	*Hemibarbus labeo*
85			长吻䱻	*Hemibarbus longirostris*
86			大刺䱻	*Hemibarbus macracanthus*
87			䱗	*Hemiculter leucisculus*
88			半䱗	*Hemiculterella sauvagei*
89			胡鮈	*Huigobio chenhsienensis*
90			大鳞鲢	*Hypophthalmichthys harmandi*
91			鲢	*Hypophthalmichthys molitrix*
92			露斯塔野鲮	*Labeo rohita*
93			鯮	*Luciobrama macrocephalus*
94			团头鲂	*Megalobrama amblycephala*
95			广东鲂	*Megalobrama hoffmanni*
96			鲂	*Megalobrama terminalis*

（续）

序号	目	科	种	
			中文名	拉丁名
97	鲤形目	鲤科	长体小鳔鮈	*Microphysogobio elongate*
98			福建小鳔鮈	*Microphysogobio fukiensis*
99			嘉积小鳔鮈	*Microphysogobio kachekensis*
100			乐山小鳔鮈	*Microphysogobio kiatingesis*
101			青鱼	*Mylopharygodon piceus*
102			拟细鲫	*Nicholsicypris normalis*
103			鳤	*Ochetobius elongates*
104			马口鱼	*Opsariichthys bidens*
105			纹唇鱼	*Osteochilus salsburyi*
106			鳊	*Parabramis pekinensis*
107			花棘似刺鳊鮈	*Paracanthobrama guichenoti*
108			异华鲮	*Parasinilabeo assimilis*
109			海南异鱲	*Parazacco spilurus fasciatus*
110			异鱲	*Parazacco spilurus spilurus*
111			片唇鮈	*Platysmacheilus exiguous*
112			桂林似鮈	*Pseudogobio vaillanti guilinensis*
113			似鮈	*Pseudogobio vaillanti vaillanti*
114			寡鳞银飘	*Pseudolarbuca engraulis*
115			银飘鱼	*Pseudolarbuca sinensis*
116			海南石鲋	*Pseudoperilampus hainanensis*
117			彩石鲋	*Pseudoperilampus lighti*
118			麦穗鱼	*Pseudorasbora parva*
119			南方拟䱗	*Pshemiculter dispar*
120			卷口鱼	*Ptychidio jordani*
121			疏斑小鲃	*Puntius paucimaculatus*
122			条纹小鲃	*Puntius semifasciolatus*
123			白云山波鱼	*Rasbora avolzi pallopinna*
124			头条波鱼	*Rasbora cephalotaenia steineri*
125			侧条波鱼	*Rasbora laternstriata*
126			台细鳊	*Rasborinus formosae*
127			线细鳊	*Rasborinus lineatus*
128			吻鮈	*Rhinogobio typus*
129			高体鳑鲏	*Rhodeus ocellatus*

（续）

序号	目	科	种	
			中文名	拉丁名
130	鲤形目	鲤科	中华鳑鲏	*Rhodeus sinensis*
131			刺鳍鳑鲏	*Rhodeus spinalis*
132			江西鳈	*Sarcocheilichthys kiangsiensis*
133			黑鳍鳈	*Sarcocheilichthys nigripinnis*
134			海南黑鳍鳈	*Sarcocheilichthys nigripinnis hainanensis*
135			小鳈	*Sarcocheilichthys parvus*
136			华鳈	*Sarcocheilichthys sinensis*
137			蛇鮈	*Saurogobio dabryi*
138			无斑蛇鮈	*Saurogobio immacukatus*
139			唇鲮	*Semilabeo notabilis*
140			海南华鳊	*Sinibrama melrosei*
141			桂华鲮	*Sinilabeo decorus*
142			盆唇华鲮	*Sinilabeo discognathoides*
143			伍氏盆唇华鲮	*Sinilabeo discognathoides wui*
144			光倒刺鲃	*Spinibarbus caldwelli*
145			倒刺鲃	*Spinibarbus denticulatus*
146			银鮈	*Squalidus argentatus*
147			海南银鮈	*Squalidus minor*
148			点纹银鮈	*Squalidus wolterstorffi*
149			赤眼鳟	*Squaliobarbus curriculus*
150			唐鱼	*Tanichthys albonubes*
151			瓣结鱼	*Tor brevifilis*
152			海南瓣结鱼	*Tor brevifilis hainanensis*
153			海南似鲚	*Toxabramis houdemerl*
154			台湾白甲鱼	*Onychostoma barbatula*
155			粗须白甲鱼	*Onychostoma barbata*
156			南方白甲鱼	*Onychostoma gerlachi*
157			细尾白甲鱼	*Onychostoma leptura*
158			小口白甲鱼	*Onychostoma lini*
159			卵形白甲鱼	*Onychostoma ovalis ovalis*
160			白甲鱼	*Onychostoma sima*
161			银鲴	*Xenocypris argentea*
162			黄尾鲴	*Xenocypris davidi*

（续）

序号	目	科	种	
			中文名	拉丁名
163	鲤形目	鲤科	宽鳍鱲	*Zacco platypus*
164		鳅科	马头鳅	*Acanthopsis choirorhynchos*
165			美丽沙鳅	*Botia pulchra*
166			壮体沙鳅	*Botia rob usta*
167			中华花鳅	*Cobitis sinensis*
168			沙花鳅	*Cobitis arenae*
169			薄鳅	*Leptobotia pellegrini*
170			泥鳅	*Misgurnus anguillicaudatus*
171			横纹条鳅	*Noemacheilus fasciolatus*
172			无斑条鳅	*Noemacheilus incertus*
173			美丽小条鳅	*Micronemacheilus pulcher*
174			稀有条鳅	*Noemacheilus rarus*
175			平头岭鳅	*Oreonectes platycephalus*
176			花斑副沙鳅	*Parabotia fasciata*
177		平鳍鳅科	细尾爬岩鳅	*Beanfortia kweichowensis gracilicauda*
178			爬岩鳅	*Beanfortia leveretti*
179			少鳞缨口鳅	*Crossostoma paucisquama*
180			斑纹缨口鳅	*Crossostoma stigmata*
181			丁氏缨口鳅	*Crossostoma tinkhami*
182			拟平鳅	*Liniparhonaloptera disparis*
183			琼中拟平鳅	*Liniparhonaloptera disparis qiongzhongensis*
184			钝吻拟平鳅	*Liniparhonaloptera obtusirostris*
185			保亭近腹吸鳅	*Pseudogastromyzon baotingensis*
186			东陂拟腹吸鳅	*Pseudogastromyzon changtingensis tungpeiesis*
187			方氏拟腹吸鳅	*Pseudogastromyzon fangi*
188			宽头拟腹吸鳅	*Pseudogastromyzon laticeps*
189			练江拟腹吸鳅	*Pseudogastromyzon lianjiangensis*
190			麦氏拟腹吸鳅	*Pseudogastromyzon myseri*
191			密斑拟腹吸鳅	*Pseudogastromyzon peristictus*
192			伍氏华吸鳅	*Sinogastromyzon wui*
193			广西华平鳅	*Sinohomaloptera kwangsiensis*
194			裸腹原缨口鳅	*Vanmarenia gymnetrus*
195			海南原缨口鳅	*Vanmarenia hainanensis*

（续）

序号	目	科	种	
			中文名	拉丁名
196	鲤形目	平鳍鳅科	平舟原缨口鳅	*Vanmarenia pingchowensis*
197			信宜原缨口鳅	*Vanmarenia xinyiensis*
198	鲶形目	鲇科	鲇	*Silurus asotus*
199			越鲇	*Silurus cochinchinensis*
200		胡子鲇科	胡子鲇	*Clarias fuscus*
201		长臀鮠科	长臀鮠	*Cranoglanis bouderius bouderiu*
202			海南长臀鮠	*Cranoglanis bouderius multiradiatus*
203		鲿科	纵带鮠	*Leiocassis argentivittatus*
204			粗唇鮠	*Leiocassis crassilabris*
205			条纹鮠	*Leiocassis virgatus*
206			斑鳠	*Mystus guttatus*
207			大鳍鳠	*Mystus macropterus*
208			越鳠	*Mystus pluriradiatus*
209			黄颡鱼	*Pelteobagrus fulvidraco*
210			中间黄颡鱼	*Pelteobagrus intermedius*
211			瓦氏黄颡鱼	*Pelteobagrus vachelli*
212			长脂拟鲿	*Pseudobagrus adiposalis*
213			白边拟鲿	*Pseudobagrus albomarginatus*
214			三线拟鲿	*Pseudobagrus trilineatus*
215		钝头鮠科	修仁鉠	*Liobagrus xiurenensis*
216		鮡科	福建纹胸鮡	*Glyptothorax fokiensis*
217			白线纹胸鮡	*Glyptothorax pallozonum*
218		海鲇科	中华海鲇	*Arius sinensis*
219		鳗鲇科	鳗鲇	*Plotosus anguillaris*
220	鳉形目	青鳉科	青鳉	*Oryzias latipes*
221		胎鳉科	食蚊鱼	*Gambusia affinis*
222	银汉鱼目	银汉鱼科	白氏银汉鱼	*Allanetta bleekeri*
223	颌针鱼目	颌针鱼科	园颌针鱼	*Tylosurus strongylurus*
224		鱵科	瓜氏鱵	*Hemirhamphus quoyi*
225			简牙下鱵	*Hyporhamphus gernaerti*
226			间下鱵	*Hyporhamphus intermedius*
227			缘下鱵鱼	*Hyporhamphus limbatus*
228			少耙下鱵	*Hyporhamphus paucirastris*

（续）

序号	目	科	种	
			中文名	拉丁名
229	颌针鱼目	鱵科	乔氏吻鱵鱼	*Rhynchorhamphus georgii*
230	海龙目	海龙科	恒河鱼海龙	*Ichthyocampns carce*
231			尖海龙	*Syngnathus acus*
232			低海龙	*Syngnathus djarong*
233			刺海马	*Hippocampus histrix*
234			日本海马鱼	*Hippocampus japonicus*
235			大海马	*Hippocampus kuda*
236			斑海马鱼	*Hippocampus trimaculatus*
237	鲻形目	鲻科	棱鲅	*Liza carinatus*
238			粗鳞鲅	*Liza dussumieri*
239			鲅	*Liza haematocheilus*
240			灰鳍鲅	*Liza melinopterus*
241			棱鲻	*Mugil carinatus*
242			鲻	*Mugil cephalus*
243			粗鳞鲻	*Mugil macrolepis*
244			梭鲻	*Mugil seiug*
245			硬头鲻	*Mugil strongylocephalus*
246			黄鲻	*Mugil vaigiensis*
247		马鲅科	四指马鲅	*Eleutheronema tetradactylun*
248			六指马鲅	*Polynemus sextarius*
249	合鳃鱼目	合鳃鱼科	黄鳝	*Monopterus albus*
250	鲈形目	双边鱼科	眶棘双边鱼	*Ambassis gymnocephalus*
251		鲈科	花鲈	*Lateolabrax japonicus*
252		单鳍鱼科	单鳍鱼	*Pempheris molucca*
253		鸡笼鲳科	条纹鸡笼鲳	*Drepane longimana*
254		尖吻鲈科	尖吻鲈	*Lates calcarifer*
255		鯻科	细鳞鯻	*Therapon jarbua*
256			尖吻鯻	*Therapon oxyrhynchus*
257			鯻鱼	*Therapon theraps*
258		羊鱼科	条尾绯鲤	*Upeneus bensasi*
259			吕宋绯鲤	*Upeneus luzonius*
260			马六甲绯鲤	*Upeneus moluccensis*
261			黑斑绯鲤	*Upeneus tragula*

（续）

序号	目	科	种	
			中文名	拉丁名
262	鲈形目	鱚科	少鳞鱚	*Sillago japonica*
263			班鱚	*Sillago maculata*
264			鱚	*Sillago sihama*
265		天竺鲷科	弓线天竺鲷	*Apogon amboinensis*
266			斗氏天竺鲷	*Apogon derleini*
267			斑柄天竺鲷	*Apogon fleurieu*
268			中线天竺鲷	*Apogon kiensis*
269			四线天竺鲷	*Apogon quadrifasciatus*
270			粗体天竺鲷	*Apogon robuetus*
271			半线天竺鲷	*Apogon semilineatus*
272			双带天竺鲷	*Apogon taeniatus*
273			斑鳍天竺鱼	*Apogonichthys Carinatus*
274			黑边天竺鱼	*Apogonichthys Ellioti*
275			细条天竺鱼	*Apogonichthys lineatus*
276			宽条天竺鱼	*Apogonichthys Striatus*
277		鲹科	丽叶鲹	*Caranx kalla*
278			六带鲹	*Caranx sexfasciatus*
279		石首鱼科	大眼白姑鱼	*Argyrosomus macrophthalmus*
280			斑鳍白姑鱼	*Argyrosomus pawak*
281			白姑鱼	*Argyrosomus argentatus*
282			黄唇鱼	*Bahaba flavolabiata*
283			棘头梅童鱼	*Collichthys lucidus*
284			勒氏枝鳔石首鱼	*Dendrophysa russelli*
285			叫姑鱼	*Johnius grypotus*
286			条纹叫姑鱼	*Johnius fasciatu*
287			银牙鰔	*Otolithes argenteus*
288		汤鲤科	花尾汤鲤	*Kuhlia taeniura*
289		鮨科	赤点石斑鱼	*Epinephelus akaara*
290			镶点石斑鱼	*Epinephelus Amblycephalus*
291			青石斑鱼	*Epinephelus Awoara*
292			鲑点石斑鱼	*Epinephelus Fario*
293			点带石斑鱼	*Epinephelus malabaricus*
294			指印石斑鱼	*Epinephelus megachir*

（续）

序号	目	科	种	
			中文名	拉丁名
295	鲈形目	鮨科	蜂巢石斑鱼	*Epinephelus Merra*
296			云纹石斑鱼	*Epinephelus Moara*
297			六带石斑鱼	*Epinephelus sexfasciatus*
298			巨石斑鱼	*Epinephelus Tauvina*
299			横带九棘鲈	*Cephalopholis pachycentron*
300			大眼鳜	*Siniperca kneri*
301			斑鳜	*Siniperca scherzeri*
302			波纹鳜	*Siniperca undulate*
303			石鳜	*Siniperca whiteheadi*
304		鲾科	短吻鲾	*Leiognathus brevirostris*
305			静鲾	*Leiognathus insidiator*
306			粗纹鲾	*Leiognathus lineolatus*
307		银鲈科	十棘银鲈	*Gerreomorpha decacantha*
308			长棘银鲈	*Gerres filamentosus*
309			日本十棘银鲈	*Gerres japonica*
310			短棘银鲈	*Gerres lucidus*
311		鲷科	真鲷	*Pagrosomus major*
312			二长棘鲷	*Parargygyrops edita*
313			平鲷	*Rhabdosargus sarba*
314			灰鳍鲷	*Sparus berda*
315			黄鳍鲷	*Sparus latus*
316			黑鲷	*Sparus macrocephalus*
317		笛鲷科	紫红笛鲷	*Lutianus argentimaculatus*
318		石鲈科	断斑石鲈	*Pomadasys hasta*
319			大斑石鲈	*Pomadasys maculates*
320		金钱鱼科	金钱鱼	*Scatophagus argus*
321		蝴蝶鱼科	丝蝴蝶鱼	*Chaetodon auriga*
322			美蝴蝶鱼	*Chaetodon wiebeli*
323			朴蝴蝶鱼	*Chaetodon modestus*
324			八带蝴蝶鱼	*Chaetodon octofasciatus*
325			马夫鱼	*Heniochus acuminatus*
326		赤刀鱼科	印度棘赤刀鱼	*Acanthocepola indica*
327		雀鲷科	孟加拉豆娘	*Abudefduf bengalensis*

（续）

序号	目	科	种	
			中文名	拉丁名
328	鲈形目	雀鲷科	双斑豆娘鱼	*Abudefduf biocellatus*
329			豆娘鱼	*Abudefduf sordidus*
330			惠琪豆娘鱼	*Abudefduf vaigiensis*
331			白条双锯鱼	*Amphiprion frenatus*
332			黑雀鲷	*Pomacen nigricans*
333			条尾雀鲷	*Pomacen trustaeniurus*
334			三斑雀鲷	*Pomacen trustripunctatus*
335		隆头鱼科	二色海猪鱼	*Halichoeres bicolor*
336			黑斑海猪鱼	*Halichoeres melanochir*
337			云斑海猪鱼	*Halichoeres nigrescens*
338			洛神颈鳍鱼	*Iniistius dea*
339			美体紫胸鱼	*Stethojulis kalosoma*
340		鹦嘴鱼科	杜氏鹦嘴鱼	*Scarus dussumieri*
341			鹦嘴鱼	*Scarus ghobban*
342		螣科	网纹螣	*Uranoscopus japonicus*
343		拟鲈科	眼斑拟鲈	*Parapercis ommatura*
344			圆拟鲈	*Parapercis scylindrical*
345		鳗鳚科	鳗鳚	*Congrogaduss subducens*
346		三鳍鳚科	三鳍鳚	*Tripterygion etheostoma*
347		玉筋鱼科	绿布氏筋鱼	*Bleekeria anguilliviridis*
348		鲔科	弯棘鲔	*Callionymus curvicornis*
349			丝鳍美尾鲔	*Callionymus dorysus*
350			丝棘鲔	*Callionymus flagris*
351			海氏鲔	*Callionymus hindsi*
352			美尾鲔	*Callionymus japonicus*
353			香鲔	*Callionymus olidus*
354			李氏鲔	*Callionymus richardoni*
355		丽鱼科	莫桑比克罗非鱼	*Oreochromis mossambica*
356			尼罗罗非鱼	*Oreochromis nilotica*
357		塘鳢科	乌塘鳢	*Bostrychus sinensis*
358			海南细齿塘鳢	*Philypnus huinanensisi*
359			大鳞细齿塘鳢	*Philypnus macrolepis*
360			尖头塘鳢	*Eleotris oxycephala*

（续）

序号	目	科	种	
			中文名	拉丁名
361	鲈形目	塘鳢科	黑体塘鳢	*Eleotris melanosoma*
362			海南刺盖塘鳢	*Eleotris acanthopoma hainanensis*
363			褐塘鳢	*Eleotris fusca*
364			条纹塘鳢	*Eleotris fasciatus*
365			峭塘鳢	*Butis butis*
366			海南黄黝鱼	*Hypseleotris hainanensis*
367			侧扁黄黝鱼	*Hypseleotris compressocephalus*
368			锯塘鳢	*Prionobutis koilomatodon*
369		沙塘鳢科	海丰沙塘鳢	*Odontobutis haifengensis*
370		鳗鰕虎鱼科	鲡形鳗鰕虎鱼	*Taenioides anguillaris*
371			须鳗鰕虎鱼	*Taenioides cirratus*
372		鰕虎鱼科	红狼牙鰕虎鱼	*Odontamblyopus rubicundus*
373			孔鰕虎鱼	*Trypauchen vagina*
374			刺鰕虎鱼	*Acanthogobius sp.*
375			凯氏珠鰕虎鱼	*Acentrogobius campbelli*
376			犬牙珠鰕虎鱼	*Acentrogobius caninus*
377			绿斑细棘鰕虎鱼	*Acentrogobius chlorostigmatoides*
378			妆饰珠鰕虎鱼	*Acentrogobius ornatus*
379			珠鰕虎鱼	*Acentrogobius viridipunctutus*
380			白条钝鰕虎鱼	*Amblygobius albimaculatus*
381			中华钝牙鰕虎鱼	*Apocryptichthys sericus*
382			少齿叉牙鰕虎鱼	*Apocryptodon glyphisodon*
383			黑首阿胡鰕虎鱼	*Awaous melanocephalus*
384			深鰕虎鱼	*Bathygobius fuscus*
385			矛尾鰕虎鱼	*Chaeturichthys stigmatias*
386			红丝鰕虎鱼	*Cryptocentrus russus*
387			短吻栉鰕虎鱼	*Ctenogobius brevirostris*
388			褐栉鰕虎鱼	*Ctenogobius brunneus*
389			项栉鰕虎鱼	*Ctenogobius cervicosquamus*
390			云斑栉鰕虎鱼	*Ctenogobius criniger*
391			溪栉鰕虎鱼	*Ctenogobius duospilus*
392			子陵栉鰕虎鱼	*Ctenogobius giurinus*
393			裸项栉鰕虎鱼	*Ctenogobius gymnauchen*

（续）

序号	目	科	种	
			中文名	拉丁名
394	鲈形目	鰕虎鱼科	大口髯鰕虎鱼	*Ctenogobius macrostoma*
395			多线栉鰕虎鱼	*Ctenogobius notophthalmus*
396			金黄舌鰕虎鱼	*Glossogobius aureus*
397			双须舌鰕虎鱼	*Glossogobius bicirrhosus*
398			双斑舌鰕虎鱼	*Glossogobius biocellatus*
399			犬牙细棘鰕虎鱼	*Glossogobius caninus*
400			舌鰕虎鱼	*Glossogobius giuris*
401			斑纹舌鰕虎鱼	*Glossogobius olivaceus*
402			红点叶鰕虎鱼	*Gobiodon erythrospilus*
403			大鳞鳍鰕虎鱼	*Gobiopterus macrolepis*
404			鲻鰕虎鱼	*Mugilogobius abei*
405			黏皮鲻鰕虎鱼	*Mugilogobius myxodermus*
406			斜纹鲻鰕虎鱼	*Mugilogobius obliquifasciatus*
407			尖鳍寡鳞鰕虎鱼	*Oligolepis acutipennis*
408			小鳞沟鰕虎鱼	*Oxyurichthys microlepis*
409			尖尾鱼	*Oxyurichthys papuensis*
410			触角尖尾巴鱼	*Oxyurichthys tentacularis*
411			须鰕虎鱼	*Parachaeturichthys polynema*
412			蜥形副平牙鰕虎鱼	*Parapocrypte serperaster*
413			眼带狭鰕虎鱼	*Stenogobius lacrymosus*
414			多鳞枝牙鰕虎鱼	*Stiphodon multisquamus*
415			斑尾复鰕虎鱼	*Synechogobius ommaturus*
416			髭鰕虎鱼	*Triaenopogon barbatus*
417		弹涂鱼科	大弹涂鱼	*Boleophthalmus pectinirostris*
418			弹涂鱼	*Periophthalmus cantonensis*
419			青弹涂鱼	*Scartelaos viridis*
420		篮子鱼科	褐蓝子鱼	*Siganus fuscescens*
421			黄斑篮子鱼	*Siganus oramin*
422			带篮子鱼	*Siganus virgatus*
423		攀鲈科	攀鲈	*Anabas testudineus*
424		斗鱼科	岐尾斗鱼	*Macropodus operecularis*
425		月鳢科	乌鳢	*Channa argus*
426			月鳢	*Channa asiatica*

（续）

序号	目	科	种	
			中文名	拉丁名
427	鲈形目	月鳢科	宽额鳢	*Channa gachua*
428			斑鳢	*Channa maculate*
429		刺鳅科	刺鳅	*Mastacembelus aculeatus*
430			大刺鳅	*Mastacembelus armatus*
431	鼠鱚目	遮目鱼科	遮目鱼	*Chanos chanos*
432	鳕形目	犀鳕科	犀鳕	*Bregmaceros macclellandii*
433	鲉形目	鲉科	褐菖鲉	*Sebastiscus marmoratus*
434		鲬科	鳄鲬	*Cociella crocodila*
435			日本瞳鲬	*Inegocia japonicus*
436			鲬	*Platycephalus indicus*
437	鲽形目	鲆科	大鳞短额鲆	*Engyprosopon grandisquama*
438			北原左鲆	*Laeops kitítaharae*
439			褐牙鲆	*Paralichthys olivaceus*
440			斑鲆	*Pseudorhombus arsius*
441			高体斑鲆	*Pseudorhombus elevatus*
442			南海斑鲆	*Pseudorhombus neglectus*
443			五点斑鲆	*Pseudorhombus quinquocellatus*
444			大鳞鲆	*Tarphopsolig olepis*
445			花鲆	*Tephrinectes sinensis*
446		舌鳎科	中华舌鳎	*Cynoglossus sinicus*
447			大鳞舌鳎	*Cynoglossus melampetalus*
448			线纹舌鳎	*Cynoglossus lineolatus*
449			三线舌鳎	*Cynoglossus trigrammus*
450			斑头舌鳎	*Cynoglossus puncticeps*
451			半滑舌鳎	*Cynoglossus semilaevis*
452			焦氏舌鳎	*Cynoglossus joyneri*
453			须鳎	*Paraplagusia bilineata*
454			布氏须鳎	*Paraplagusia blochi*
455		鳎科	箬鳎	*Brachirus orientalis*
456			钩嘴鳎	*Heteromycteris japonicus*
457			豹鳎	*Pardachirus pavoninus*
458			卵鳎	*Solea ovata*
459			蛾眉条鳎	*Zebrias quagga*

（续）

序号	目	科	种	
			中文名	拉丁名
460	鲽形目	鳎科	条鳎	*Zebrias zebra*
461		棘鲆科	短鲽	*Brachypleura novae zeelandiae*
462		鲽科	木叶鲽	*Pleuronichthys cornutus*
463			瓦鲽	*Poecilopsetta plithus*
464		冠鲽科	冠鲽	*Samaris cristatus*
465	鲀形目	鲀科	横纹东方鲀	*Takifugu oblongus*
466			弓斑东方鲀	*Takifugu ocellatus*
467			圆斑东方鲀	*Takifugu orbimaculatus*
二、两栖类				
1	有尾目	鱼螈科	版纳鱼螈	*Ichthyophis bannanicus*
2		隐鳃鲵科	大鲵	*Andrias davidianus*
3		蝾螈科	黑斑肥螈	*Pachytriton brevipes*
4			无斑肥螈	*Pachytriton labiatuin*
5			中国瘰螈	*Paramesotriton chinensis*
6			香港瘰螈	*Paramesotriton hongkongensis*
7	无尾目	锄足蟾科	小角蟾	*Megophtys minor*
8		蟾蜍科	黑眶蟾蜍	*Bufo melanostictus*
9		雨蛙科	中国雨蛙	*Hyla chinensis*
10			华南雨蛙	*Hyla simplex*
11		蛙科	尖舌浮蛙	*Ooeidozyga lima*
12			弹琴蛙	*Rana adenopleura*
13			沼水蛙	*Sylvirana guentheri*
14			日本林蛙	*Rana japonica*
15			大头蛙	*Limnonectes kuhlii*
16			泽陆蛙	*Fejervarya multistriata*
17			大绿臭蛙	*Odorrana livida*
18			长趾蛙	*Rana macrodactyla*
19			黑斑蛙	*Rana nigromaculat*
20			花臭蛙	*Odorrana schmackeri*
21			棘胸蛙	*Paa spinosa*
22			台北蛙	*Hylarana taipehensis*
23			虎纹蛙	*Hoplobatrachus rugulosus*
24			华南湍蛙	*Amolops ricketti*

（续）

序号	目	科	种	
			中文名	拉丁名
25	无尾目	树蛙科	斑腿泛树蛙	*Polypedates megacephalus*
26			无声囊泛树蛙	*Polypedates mutus*
27		姬蛙科	花细狭口蛙	*Kalophrynus pleurostigma*
28			花狭口蛙指名亚种	*Kaloula pulchra pulchra*
29			粗皮姬蛙	*Microhyla butleri*
30			小弧斑姬蛙	*Microhyla heymonsi*
31			饰纹姬蛙	*Microhyla ornate*
32			花姬蛙	*Microhyla pulchra*
三、爬行类				
1	龟鳖目	龟科	乌龟	*Chinemys reevesii*
2			眼斑水龟	*Clemmys bealei*
3			黄喉拟水龟	*Clemmys mutica*
4			四眼水龟	*Clemmys quadrlocellata*
5			三线闭壳龟	*Cuora trifasciata*
6			黄额闭壳鱼	*Cuora galbinifrons*
7			中华花龟	*Oadia sinensis*
8			平胸龟	*Platysternon megacephalum*
9			锯缘箱龟	*Pyxidea mohotii*
10		鳖科	鼋	*Pelochelys bibroni*
11			鳖	*Trionys sinensis*
12			山瑞鳖	*Trionys steindachneri*
13		海龟科	绿海龟	*Chelonia mydas*
14			玳瑁	*Eretmochelys imbricata*
15		棱皮龟科	棱皮龟	*Dermochelys coriscea*
16	蛇目	游蛇科	过树蛇	*Ahaetulla ahaetulla*
17			钝尾两头蛇	*Calamaria eptentrionalis*
18			赤链蛇	*Dinodon rufozonatum*
19			王锦蛇	*Elaphe carinata*
20			玉斑锦蛇	*Elaphe mandarina*
21			百花锦蛇	*Elaphe moellendorffi*
22			黑斑水蛇	*Enhydris bennetti*
23			中国水蛇	*Enhydris chinensis*
24			水蛇	*Enhydris enhydris*

（续）

序号	目	科	种	
			中文名	拉丁名
25	蛇目	游蛇科	铅色水蛇	*Enhydris plumbea*
26			赤链华游蛇	*Sinonatrix annularis*
27			渔游蛇	*Xenochrophis piscator*
28			棕黑腹链蛇	*Amphiesma sauteri*
29			草腹链蛇	*Amphiesma stolata*
30			红脖游蛇	*Natrix subminiata*
31			香港后棱蛇	*Opisthotropis andersonii*
32		海蛇科	青环海蛇	*Hydrophis cyanocinchus*
33			环纹海蛇	*Hydrophis fasciatus*
34			黑头海蛇	*Hydrophis melanocephalus*
35			淡灰海蛇	*Hydrophis ornatus*
36			平颏海蛇	*Lapernis curtus*
37			小头海蛇	*Hydrophis gracilis*
四、鸟类				
1	潜鸟目	潜鸟科	红喉潜鸟	*Gavia stellata*
2	䴙䴘目	䴙䴘科	凤头䴙䴘	*Podiceps cristatus cristatus*
3			黑颈䴙䴘	*Podiceps nigricollis*
4			小䴙䴘	*Tachybaptus ruficollis*
5	鹱形目	海燕科	黑叉尾海燕	*Oceanodroma monorhis monorhis*
6	鹈形目	鹈鹕科	卷羽鹈鹕	*Pelecanus crispus*
7			斑嘴鹈鹕	*Pelecanus philippensis*
8		鸬鹚科	普通鸬鹚	*Phalacrocorax carbo*
9			海鸬鹚	*Phalacrocorax pelagicus*
10		军舰鸟科	白腹军舰鸟	*Fregata andrewsi*
11			白斑军舰鸟	*Fregata ariel ariel*
12			黑腹军舰鸟	*Fregata minor minor*
13	鹳形目	鹭科	苍鹭	*Ardea cinerea*
14			草鹭	*Ardea purpurea*
15			池鹭	*Ardeola bacchus*
16			大麻鳽	*Botaurus stellaris stellaris*
17			牛背鹭	*Bubulcus ibis*
18			绿鹭	*Butorides striatus*
19			大白鹭	*Egretta alba*

（续）

序号	目	科	种	
			中文名	拉丁名
20	鹳形目	鹭科	黄嘴白鹭	*Egretta eulophotes*
21			小白鹭	*Egretta garzetta garzetta*
22			中白鹭	*Egretta intermedia*
23			岩鹭	*Egretta sacra sacra*
24			海南鳽	*Gorsachius magnificus*
25			黑冠鳽	*Gorsachius melanolophus*
26			栗苇鳽	*Ixobrychus cinnamomeus*
27			紫背苇鳽	*Ixobrychus eurhythmus*
28			黄斑苇鳽	*Ixobrychus sinensis sinensis*
29			黑苇鳽	*Ixobryhus flavicollis*
30			夜鹭	*Nycticorax nycticorax nycticorax*
31		鹳科	东方白鹳	*Ciconia boyciana*
32			黑鹳	*Ciconia nigra*
33			彩鹳	*Mycteria leucocephalus*
34		鹮科	彩鹮	*Plegadis falcinellus*
35			白琵鹭	*Platalea leucorodia*
36			黑脸琵鹭	*Platalea minor*
37			黑头白鹮	*Threskiornis melanocephalus*
38	雁形目	鸭科	鸳鸯	*Aix galericulata*
39			针尾鸭	*Anas acuta acuta*
40			琵嘴鸭	*Anas clypeata*
41			绿翅鸭	*Anas crecca*
42			罗纹鸭	*Anas falcate*
43			花脸鸭	*Anas formosa*
44			赤颈鸭	*Anas penelope*
45			绿头鸭	*Anas platyrhynchos*
46			斑嘴鸭	*Anas poecilorhyncha*
47			白眉鸭	*Anas querquedula*
48			赤膀鸭	*Anas strepera strepera*
49			灰雁	*Anser anser*
50			鸿雁	*Anser cygnoides*
51			小白额雁	*Anser erythropus*
52			豆雁	*Anser fabalis*

（续）

序号	目	科	种	
			中文名	拉丁名
53	雁形目	鸭科	青头潜鸭	*Aythya baeri*
54			红头潜鸭	*Aythya ferina*
55			凤头潜鸭	*Aythya fuligula*
56			斑背潜鸭	*Aythya marila*
57			鹊鸭	*Bucephala clangula*
58			小天鹅	*Cygnus columbianus*
59			栗树鸭	*Dendrocygna javanica*
60			斑头秋沙鸭	*Mergus albellus*
61			普通秋沙鸭	*Mergus merganser*
62			红胸秋沙鸭	*Mergus serrator*
63			中华秋沙鸭	*Mergus squamatus*
64			棉凫	*Nettapus coromandelianus*
65			赤麻鸭	*Tadorna ferruginea*
66			翘鼻麻鸭	*Tadorna tadorna*
67	鹤形目	鹤科	灰鹤	*Grus grus*
68		秧鸡科	红脚苦恶鸟	*Amaurornis akool*
69			白胸苦恶鸟	*Amaurornis phoenicurus*
70			花田鸡	*Coturnicops exquistus*
71			白骨顶	*Fulica atra*
72			董鸡	*Gallicrex cinerea cinerea*
73			黑水鸡	*Gallinula chloropus*
74			蓝胸秧鸡	*Gallirallus striatus*
75			紫水鸡	*Porphyrio porphyrio*
76			红胸田鸡	*Porzana fusca*
77			小田鸡	*Porzana pusilla pusilla*
78			普通秧鸡	*Rallus aquaticus*
79	鸻形目	雉鸻科	水雉	*Hydrophasianus chirurgus*
80		彩鹬科	彩鹬	*Rostratula benghalensis*
81		蛎鹬科	蛎鹬	*Haematopus ostralegus osculans*
82		鸻科	环颈鸻	*Charadrius alexandrinus*
83			金眶鸻	*Charadrius dubius*
84			铁嘴沙鸻	*Charadrius leschenaultii*
85			蒙古沙鸻	*Charadrius mongolus*

（续）

序号	目	科	种	
			中文名	拉丁名
86	鸻形目	鸻科	东方鸻	*Charadrius veredus*
87			金鸻	*Pluvialis fulva*
88			灰鸻	*Pluvialis squatarola*
89			灰头麦鸡	*Vanellus cinereus*
90			凤头麦鸡	*Vanellus vanellus*
91		鹬科	翻石鹬	*Arenaria interpres*
92			尖尾滨鹬	*Calidris acuminata*
93			黑腹滨鹬	*Calidris alpina*
94			红腹滨鹬	*Calidris canutus rogersi*
95			弯嘴滨鹬	*Calidris ferruginea*
96			红颈滨鹬	*Calidris ruficollis*
97			长趾滨鹬	*Calidris subminuta*
98			青脚滨鹬	*Calidris temminckii*
99			大滨鹬	*Calidris tenuirostris*
100			三趾滨鹬	*Calidrus alba*
101			扇尾沙锥	*Callinago gallinago*
102			大沙锥	*Callinago megale*
103			孤沙锥	*Callinago solitaria*
104			针尾沙锥	*Callinago stenura*
105			勺嘴鹬	*Eurynorhynchus pygmeus*
106			灰尾漂鹬	*Heteroscelus brevipes*
107			阔嘴鹬	*Limicola falcinellus*
108			斑尾塍鹬	*Limosa lapponica*
109			黑尾塍鹬	*Limosa limosa*
110			姬鹬	*Lymnocryptes minimus*
111			白腰杓鹬	*Numenius arquata*
112			大杓鹬	*Numenius madagascariensis*
113			小杓鹬	*Numenius minutus*
114			中杓鹬	*Numenius phaeopus*
115			流苏鹬	*Philomachus pugnax*
116			丘鹬	*Scolopax rusticola rusticola*
117			鹤鹬	*Tringa erythropus*
118			林鹬	*Tringa glareola*

（续）

序号	目	科	种	
			中文名	拉丁名
119	鸻形目	鹬科	小青脚鹬	*Tringa guttifer*
120			矶鹬	*Tringa hypoleucos*
121			青脚鹬	*Tringa nebularia*
122			白腰草鹬	*Tringa ochropus*
123			泽鹬	*Tringa stagnatilis*
124			红脚鹬	*Tringa totanus totanus*
125			翘嘴鹬	*Xenus cinereus*
126		反嘴鹬科	黑翅长脚鹬	*Himantopus himantopus*
127			反嘴鹬	*Recurvirostra avosetta*
128		瓣蹼鹬科	红颈瓣蹼鹬	*Phalaropus lobatus*
129		燕鸻科	普通燕鸻	*Glareola maldivarum*
130	鸥形目	贼鸥科	中贼鸥	*Stercorarius pomarinus*
131		鸥科	白顶玄燕鸥	*Anous stolidus*
132			须浮鸥	*Chlidonias hybridus*
133			白翅浮鸥	*Chlidonias leucopterus*
134			鸥嘴噪鸥	*Gelochelidon nilotica*
135			白燕鸥	*Gygis alba*
136			红嘴巨鸥	*Hydropgne caspia*
137			银鸥	*Larus argentatus vegae*
138			海鸥	*Larus canus*
139			黑尾鸥	*Larus crassirostris*
140			北极鸥	*Larus hyperboreus*
141			红嘴鸥	*Larus ridibundus*
142			黑嘴鸥	*Larus saundersi*
143			灰背鸥	*Larus schistisagus*
144			白额燕鸥	*Sterna albifrons sinensis*
145			褐翅燕鸥	*Sterna anaethetus anaethetus*
146			粉红燕鸥	*Sterna dougallii*
147			普通燕鸥	*Sterna hirundo*
148			黑枕燕鸥	*Sterna sumatrana sumatrana*
149			小凤头燕鸥	*Thalasseus bengalensis*
150			大凤头燕鸥	*Thalasseus bergii*

（续）

序号	目	科	种	
			中文名	拉丁名
151	佛法僧目	翠鸟科	普通翠鸟	*Alcedo atthis*
152			冠鱼狗	*Ceryle lugubris*
153			斑鱼狗	*Ceryle rudis*
154			蓝翡翠	*Halcyon pileata*
155			白胸翡翠	*Halcyon smyrnensis*
五、哺乳类				
1	食肉目	鼬科	小爪水獭	*Aonyx cinerea*
2			水獭	*Lutra lutra*
3			江獭	*Lutra perspicillata*
4	啮齿目	鼠科	青毛鼠	*Rattus bowersi*
5			黄胸鼠	*Rattus flavipectus*
6			针毛鼠	*Rattus fulvescens*
7			大足鼠	*Rattus nitidus*
8			社鼠	*Rattus niviventer*
9			黄毛鼠	*Rattus rattoides*
10	偶蹄目	鹿科	水鹿	*Cervus unicolo*
11	鳍足目	海豚科	中华白海豚	*Sousa chinensis*

附录3　广东重点调查湿地概况

参照《全国湿地资源调查技术规程(试行)》及《广东省湿地资源调查操作细则》，结合广东省湿地特点和具体情况，本次调查广东省确定重点调查湿地共48处，对其中32处进行了湿地生态状况综合评价。其余，15处为大于1万公顷的浅海水域湿地，1处为库塘湿地，因未成立任何保护管理机构，此次未做湿地生态状况综合评价。进行湿地生态状况综合评价的重点调查湿地包括：湿地类型自然保护区28处(其中，林业系统自然保护区国家级2处，省级10处，市、县级7处；海洋渔业系统自然保护区国家级4处，省级5处)，湿地公园4处，其他具有特殊保护意义的湿地2处。

1. 湛江红树林国家级自然保护区

湛江红树林国家级自然保护区重点调查湿地范围面积2.0279万公顷，湿地面积为2.0282万公顷，主要湿地类型为红树林、淤泥质海滩和浅海水域湿地。地理坐标为东经109°44′~110°45′，北纬21°14′~21°35′；位于雷州半岛沿海滩涂，跨湛江市的徐闻、雷州、遂溪、廉江4个县(市)，和麻章、坡头、东海、霞山4个区。

调查中记录有湿地高等植物3门15科21属24种。记录到外来植物1属1种。

湿地植被可划分为1个植被型组，1个植被型，17个群系。

调查中记录有湿地无脊椎动物贝类3纲37科76属110种，虾类3科19种，蟹类11科57种。脊椎动物鱼类15目58科127种，鸟类18目44科194种。

记录有国家Ⅱ级保护野生动物25种。

于1990年建立省级自然保护区，1997年晋升为国家级自然保护区，2002年被列为国际重要湿地名录。受广东省林业厅管理，成立了湛江红树林国家级自然保护区管理局。

主要受人为活动干扰、城市发展建设等威胁。

2. 惠东港口海龟国家级自然保护区

惠东港口海龟国家级自然保护区重点调查湿地范围面积46.71公顷，湿地面积为46.71公顷，主要湿地类型为浅海水域和沙石海滩湿地。地理坐标为东经114°52′~114°56′，北纬22°33′~22°33′；位于惠州市惠东县内。

调查中记录有海龟2科5属5种，有绿海龟、棱皮龟、玳瑁、太平洋丽龟和蠵龟。无脊椎动物贝类有鲍鱼、翡翠贻贝、海菊蛤、巴非蛤、棘螺、东风螺、牡蛎等，虾类有龙虾、日本对虾、长毛对虾、宽沟对虾、短沟对虾、新对虾、赤虾，另外还有海参、海胆、乌贼等海洋动物。脊椎动物鱼类有真鲼、黑鲷、真鲷、石斑、鲳鱼等，鸟类有北红尾鸲、八哥、褐翅鸦鹃、小白鹭、岩鹭等30多种，哺乳类有海豚。

于1984年划定为县级自然保护区，1992年晋升为国家级自然保护区，1993年7月被中国人与生物圈委员会接纳为生物圈保护区网络成员，2002 年被列入《国际重要湿地名录》。受广东省海洋与渔业部门管理，成立了惠东港口海龟国家级自然保护区管理局。

3. 海丰鸟类省级自然保护区

海丰鸟类省级自然保护区重点调查湿地范围面积 1.159 万公顷，湿地面积为 0.86 万公顷，主要湿地类型为淤泥质海滩、水产养殖场、洪泛平原湿地、永久性河流湿地。地理坐标为：公平区，东经 115°22′33″～115°28′47″，北纬 23°02′37″～23°07′25″；东关联安围区，东经 115°19′30″～115°11′41″，北纬 22°53′22″～22°50′29″；大湖区，东经 115°30′～115°37′，北纬 22°50′～22°52′30″。位于海丰县内。

调查中记录有湿地高等植物 2 门 2 科 2 属 2 种。记录到外来植物 2 科 2 属 2 种。

记录有国家重点保护野生植物 2 种。其中，国家Ⅰ级保护野生植物 1 种，国家Ⅱ级保护野生植物 1 种。

湿地植被可划分为 6 个植被型组，9 个植被型，18 个群系。

调查中记录有湿地脊椎动物 5 纲 46 目 121 科 414 种。其中，鱼类 18 目 43 科 100 种，两栖类 2 目 5 科 18 种，爬行类 3 目 10 科 31 种，鸟类 17 目 53 科 246 种，哺乳类 6 目 10 科 19 种。

记录有国家重点保护野生动物 40 种。其中，国家Ⅰ级保护野生动物 2 种，国家Ⅱ级保护野生动物 38 种。在国家重点保护野生动物中，有湿地鸟类 38 种。其中，国家Ⅰ级保护鸟类 2 种，国家Ⅱ级保护鸟类 36 种。

于 1998 年建立省级自然保护区。受广东省林业厅管理，成立了海丰鸟类省级自然保护区管理处。

主要受到人为活动、自然灾害、外来物种入侵等威胁。

4. 内伶仃福田国家级自然保护区

内伶仃福田国家级自然保护区重点调查湿地范围面积 921.6 公顷，湿地面积为 428.54 公顷，主要湿地类型为红树林湿地。中心地理坐标为东经 113°45′，北纬 22°32′；位于深圳市内。

调查中记录有湿地高等植物 1 门 9 科 12 属 16 种。记录到外来植物 3 科 5 属 9 种。

湿地植被可划分为 1 个植被型组，1 个植被型，6 个群系。

调查中记录有湿地脊椎动物 5 纲 31 目 71 科 246 种。其中，鱼类 4 目 5 科 11 种，两栖类 1 目 4 科 8 种，爬行类 3 目 10 科 23 种，鸟类 18 目 45 科 189 种，哺乳类 5 目 7 科 5 种。

记录有国家重点保护野生动物 23 种。其中，国家Ⅰ级保护野生动物 2 种，国家Ⅱ级保护野生动物 12 种。在国家重点保护野生动物中，有湿地鸟类 23 种。其中，国家Ⅰ级保护鸟类 1 种，国家Ⅱ级保护鸟类 5 种。

于 1984 年建立省级自然保护区，1988 年晋升为国家级自然保护区。受广东省林业厅和深圳市城市管理局管理，成立了内伶仃福田国家级自然保护区管理局。

主要受到外来物种入侵、城市活动危害、病虫害等威胁。

5. 珠江口中华白海豚国家级自然保护区

珠江口中华白海豚国家级自然保护区重点调查湿地范围面积 4.6 万公顷，湿地面积为 4.6 万公顷，主要湿地类型为河口水域湿地。地理坐标为东经 113°40′至粤港水域分界线；北纬 22°11′～22°24′；位于珠海市内。

调查中记录有湿地脊椎动物 2 纲 19 目 301 种。其中，鱼类 17 目 287 种，哺乳类 2 目 4 科 14 种。

记录有国家重点保护野生动物 15 种。其中，国家 I 级保护野生动物 1 种，国家 II 级保护野生动物 14 种。

于 1999 年建立省级自然保护区，2003 年晋升为国家级自然保护区。受广东省海洋与渔业局管理，成立了珠江口中华白海豚国家级自然保护区管理局。

主要受到渔业资源匮乏、水污染、海洋过度开发等威胁。

6. 徐闻珊瑚礁国家级自然保护区

徐闻珊瑚礁国家级自然保护区重点调查湿地范围面积 1.43785 万公顷，湿地面积 0.32 万公顷，主要湿地类型为浅海水域湿地。地理坐标为东经 109°30′～109°48′；北纬 20°10′36″～20°27′00″之间；位于徐闻县内。

调查中记录有湿地脊椎动物 2 纲 14 目 56 科 136 种。其中，鱼类 13 目 55 科 135 种，哺乳类 1 目 1 科 1 种。

记录有国家 II 级保护野生动物 82 种。

于 2003 年建立省级自然保护区，2007 年晋升为国家级自然保护区。受广东省海洋与渔业局管理，成立了徐闻珊瑚礁国家级自然保护区管理局。

主要受到非法捕捞威胁。

7. 雷州珍稀海洋生物国家级自然保护区

雷州珍稀海洋生物国家级自然保护区重点调查湿地范围面积 4.686467 万公顷，湿地面积为 521.69 公顷，主要湿地类型为浅海水域湿地。地理坐标为东经 109°30′～109°48′，北纬 20°32′～20°44′；位于雷州市西部沿海。

调查中记录有湿地高等植物 3 门 13 科 17 属 34 种。

调查中记录有湿地脊椎动物 2 纲 24 目 91 科 253 种。其中，鱼类 21 目 87 科 247 种，哺乳类 3 目 4 科 6 种。

记录有国家重点保护野生动物 12 种。其中，国家 I 级保护野生动物 2 种，国家 II 级保护野生动物 10 种。

于 1983 年建立省级自然保护区，2008 年晋升为国家级自然保护区。受广东省海洋与渔业局管理，成立了雷州珍稀海洋生物国家级自然保护区管理局。

主要受到非法捕捞威胁。

8. 珠海淇澳—担杆岛省级自然保护区

珠海淇澳—担杆岛省级自然保护区重点调查湿地范围面积 7373.77 公顷，湿地面积为 7005.59 公顷，主要湿地类型为红树林湿地和浅海水域湿地。地理坐标为东经 113°36′40″～113°39′15″，北纬 22°23′40″～22°27′38″；位于珠海市香洲区。

调查中记录有湿地高等植物 3 门 104 科 398 属 556 种。记录到外来植物 1 属 1 种。

湿地植被可划分为 1 个植被型组，5 个植被型，16 个群系。

调查中记录有湿地脊椎动物 5 纲 14 目 48 科 103 种。其中，鱼类 10 目 41 科 90 种，两栖类 1 目5 科 15 种，爬行类 3 目 10 科 27 种，鸟类 16 目 34 科 99 种，哺乳类 5 目 9 科 14 种。

记录有国家重点保护野生动物 16 种。其中，国家Ⅰ级保护野生动物 1 种，国家Ⅱ级保护野生动物 15 种。在国家重点保护野生动物中，有湿地鸟类 99 种。其中，国家Ⅱ级保护鸟类 12 种。

于 2004 年建立省级自然保护区。受广东省林业厅管理，成立了珠海淇澳—担杆岛省级自然保护区管理处。

9. 南澳候鸟省级自然保护区

南澳候鸟省级自然保护区重点调查湿地(包括南澎列岛海洋生态保护区)范围面积 256.5 公顷(保护区由 22 个小岛屿组成，呈点状)，湿地面积为 104.41 公顷，主要湿地类型为岩石海岸和浅海水域湿地。地理坐标为东经 116°55′～117°18′，北纬 23°13′～23°29′；位于南澳县内。

调查中记录有湿地高等植物 2 门 85 科 214 属 254 种。湿地植被可划分为 3 个植被型组，4 个植被型。

调查中记录有湿地脊椎动物 3 纲 15 目 48 科 135 种。其中，两栖类 1 目 5 科 9 种，爬行类1 目 5 科 9 种，鸟类 13 目 38 科 117 种。

记录有国家重点保护野生动物 22 种。其中，国家Ⅰ级保护野生动物 2 种，国家Ⅱ级保护野生动物 20 种。在国家重点保护野生动物中，有湿地鸟类 117 种。其中，国家Ⅰ级保护鸟类 2 种，国家Ⅱ级保护鸟类 18 种。

于 1990 年建立省级自然保护区。受广东省林业厅管理，成立了南澳候鸟省级自然保护区管理处。

10. 河源新港省级自然保护区

河源新港省级自然保护区重点调查湿地范围面积 7513 公顷，湿地面积为 587.82 公顷，主要湿地类型为库塘湿地，湖泊为淡水。地理坐标为东经 114°28′～114°35′，北纬 23°51′～23°57′；位于河源市东源县内。

调查中记录有湿地高等植物 166 科 584 属 1022 种。

记录有国家重点保护野生植物 7 种。其中，国家Ⅰ级保护野生植物 3 种，国家Ⅱ级保护野生植物 4 种。

调查中记录有湿地脊椎动物 5 纲 35 目 92 科 254 种。其中，鱼类6 目 12 科 35 种，两栖类 2 目 6 科 13 种，爬行类 3 目 13 科 27 种，鸟类 17 目 42 科 131 种，哺乳类 7 目 19 科 48 种。

记录有国家重点保护野生动物37种。其中，国家Ⅰ级保护野生动物3种，国家Ⅱ级保护野生动物34种。在国家重点保护野生动物中，有湿地鸟类131种。其中，国家Ⅰ级保护鸟类2种，国家Ⅱ级保护鸟类25种。

于1976年建立自然保护区，1989年晋升为省级自然保护区。受广东省林业厅和新丰江林管局共管，成立了河源新港省级自然保护区管理处。

主要受到湿地退化、水体污染等威胁。

11. 龙川枫树坝省级自然保护区

龙川枫树坝省级自然保护区重点调查湿地范围面积1.56708万公顷，湿地面积为3803.67公顷，主要湿地类型为库塘湿地。地理坐标为东经115°16′~115°30′，北纬24°24′~24°38′；位于龙川县内。

调查中记录有湿地高等植物3门167科583属921种。

记录有国家重点保护野生植物8种。其中，国家Ⅰ级保护野生植物2种，国家Ⅱ级保护野生植物6种。

湿地植被可划分为3个植被型组，3个植被型。

调查中记录有湿地脊椎动物5纲35目102科315种。其中，鱼类8目23科94种，两栖类2目6科17种，爬行类3目10科46种，鸟类15目43科116种，哺乳类7目20科42种。

记录有国家重点保护野生动物29种。其中，国家Ⅰ级保护野生动物4种，国家Ⅱ级保护野生动物25种。在国家重点保护野生动物中，有湿地鸟类4种。其中，国家Ⅰ级保护鸟类1种，国家Ⅱ级保护鸟类13种。

于1998年建立省级自然保护区。受广东省林业厅管理，成立了龙川枫树坝省级自然保护区管理处。

主要受到人类活动干扰等威胁。

12. 蕉岭长潭省级自然保护区

蕉岭长潭省级自然保护区重点调查湿地范围面积5586公顷，湿地面积为298.56公顷，主要湿地类型为库塘湿地。地理坐标为东经116°03′~116°08′，北纬24°41′~24°49′；位于梅州市蕉岭县内。

调查中记录有湿地高等植物2门183科576属1092种。

记录有国家重点保护野生植物14种。其中，国家Ⅰ级保护野生植物1种，国家Ⅱ级保护野生植物13种。

调查中记录有湿地脊椎动物5纲35目89科264种。其中，鱼类6目17科60种，两栖类2目7科21种，爬行类3目10科33种，鸟类16目36科106种，哺乳类8目19科44种。

记录有国家重点保护野生动物31种。其中，国家Ⅰ级保护野生动物3种，国家Ⅱ级保护野生动物28种。

于2004年建立省级自然保护区。受广东省林业厅管理，成立了蕉岭长潭省级自然保护区管理处。

主要受到泥沙淤积、过渡捕捞、污染等威胁。

13. 惠东莲花山—白盆珠省级自然保护区

惠东莲花山—白盆珠省级自然保护区重点调查湿地范围面积1.4034万公顷，湿地面积为3522.26万公顷，主要湿地类型为库塘和草本沼泽湿地。地理坐标为东经115°02′~115°15′，北纬23°02′~23°11′；位于惠州市惠东县内。

调查中记录有湿地高等植物205科732属1551种。

记录有国家重点保护野生植物15种。其中，国家Ⅰ级保护野生植物2种，国家Ⅱ级保护野生植物13种。

湿地植被可划分为4个植被型组，5个植被型，13个群系。

调查中记录有湿地脊椎动物5纲35目104科365种。其中，鱼类6目15科53种，两栖类2目7科19种，爬行类3目11科36种，鸟类16目50科206种，哺乳类8目21科51种。

记录有国家重点保护野生动物43种。其中，国家Ⅰ级保护野生动物5种，国家Ⅱ级保护野生动物38种。在国家重点保护野生动物中，有湿地鸟类26种。其中，国家Ⅰ级保护鸟类2种，国家Ⅱ级保护鸟类24种。

于2004年建立省级自然保护区。受广东省林业厅管理，成立了惠东莲花山—白盆珠省级自然保护区管理处。

主要受到电站建设、人为干扰等威胁。

14. 连南板洞省级自然保护区

连南板洞省级自然保护区重点调查湿地范围面积10195.8公顷，湿地面积为65.82公顷，主要湿地类型为永久性河流和库塘湿地。地理坐标为东经112°13′~112°25′，北纬24°18′~24°26′；位于连南县内。

调查中记录有湿地高等植物3门193科615属1182种。

记录有国家重点保护野生植物12种。其中，国家Ⅰ级保护野生植物2种，国家Ⅱ级保护野生植物10种。

湿地植被可划分为5个植被型组，9个植被型，16个群系。

调查中记录有湿地脊椎动物5纲30目76科333种。其中，两栖类2目6科32种，爬行类3目10科53种，鸟类17目40科200种，哺乳类8目20科48种，鱼类未调查。

记录有国家重点保护野生动物39种。其中，国家Ⅰ级保护野生动物4种，国家Ⅱ级保护野生动物35种。

于1990年以牛塘林场为核心建立县级自然保护区，2000年经清远市政府批准建立市级自然保护区，2004年升级为省级自然保护区。受广东省林业厅管理，成立了连南板洞省级自然保护区管理处。

主要受到捕捞、采集、采伐等威胁。

15. 连南大鲵省级自然保护区

连南大鲵省级自然保护区重点调查湿地范围面积1493.4公顷，湿地面积为32.33公顷，主要湿地类型为永久性河流湿地。地理坐标为东经112°08′26.8″~112°11′36.2″，北纬24°23′15.5″~24°25′22.9″；位于连南瑶族自治县内。

调查中记录有湿地高等植物3门107科261属509种。

记录有国家重点保护野生植物7种。其中，国家Ⅰ级保护野生植物1种，国家Ⅱ级保护野生植物6种。

湿地植被可划分为3个植被型组，5个植被型，15个群系。

调查中记录有湿地脊椎动物5纲20目44科110种。其中，鱼类3目6科11种，两栖类2目7科18种，爬行类3目6科24种，鸟类7目16科46种，哺乳类5目9科11种。

记录有国家重点保护野生动物20种。其中，国家Ⅰ级保护野生动物10种，国家Ⅱ级保护野生动物10种。在国家重点保护野生动物中，有湿地鸟类2种，均是国家Ⅱ级保护鸟类。

于2007年建立省级自然保护区，受广东省海洋与渔业局管理，成立了连南大鲵省级自然保护区管理处。

主要受到偷捕、狩猎、毁林等威胁。

16. 潮安凤凰山省级自然保护区

广东潮安凤凰山省级自然保护区重点调查湿地范围面积2845.8公顷，湿地面积为8.1公顷，主要湿地类型为永久性淡水湖湿地。地理坐标为东经116°38′，北纬23°57′；位于潮州市潮安县内。

于2001年建立省级自然保护区。受广东省林业厅管理，成立了潮安凤凰山省级自然保护区管理处。

主要受到水污染威胁。

17. 曲江罗坑鳄蜥省级自然保护区

曲江罗坑鳄蜥省级自然保护区重点调查湿地范围面积1.88万公顷，湿地面积为452.49公顷，主要湿地类型为草本沼泽、永久性河流和库塘湿地。地理坐标为东经113°12′~113°25′，北纬24°28′~24°36′；位于韶关市曲江区内。

调查中记录有湿地高等植物3门205科698属1464种。

记录有国家重点保护野生植物17种。其中，国家Ⅰ级保护野生植物2种，国家Ⅱ级保护野生植物15种。

湿地植被可划分为3个植被型组，8个植被型，1个群系。

调查中记录有湿地脊椎动物5纲29目96科221种。其中，鱼类4目9科23种，两栖类2目7科32种，爬行类3目13科55种，鸟类12目43科164种，哺乳类8目24科71种。

记录有国家重点保护野生动物39种。其中，国家Ⅰ级保护野生动物6种，国家Ⅱ级保护野生动物33种。在国家重点保护野生动物中，有湿地鸟类1种，是国家Ⅱ级保护鸟类。

于1998年建立省级自然保护区。受广东省林业厅管理，成立了曲江罗坑鳄蜥省级自然保护区管理处。

主要受到气候变化、人类活动、自然灾害等威胁。

18. 阳江南鹏列岛海洋生态省级自然保护区

广东阳江南鹏列岛海洋生态省级自然保护区重点调查湿地范围面积2万公顷，湿地面积为553.68公顷，主要湿地类型为浅海水域、沙石海滩和岩石海岸湿地。地理坐标为东经112°04′00″~112°12′12″，北纬21°39′12″~21°31′30″；位于阳江市内。

调查中记录有湿地脊椎动物1纲(鱼纲)7目33科68种。

记录有国家重点保护野生动物6种，均为国家Ⅱ级保护野生鱼类。

于2008年建立省级自然保护区。受广东省海洋与渔业局管理，未成立管理机构，现由阳江市海洋与水产自然保护区管理所代管。

19. 大亚湾水产资源省级自然保护区

大亚湾水产资源省级自然保护区重点调查湿地范围面积9.85万公顷，湿地面积为1029.73公顷，主要湿地类型为浅海水域、潮下水生层和红树林等。地理坐标为东经114°29′44″~114°53′44″，北纬22°24′40″~22°50′00″；位于惠州大亚湾区内。

调查中记录有湿地脊椎动物2纲22目107科346种。其中，鱼类21目106科345种，哺乳类1目1科1种。

记录有国家重点保护野生动物6种，均为国家Ⅱ级保护野生动物。

于1983年建立省级自然保护区。受广东省海洋与渔业部门管理，成立了大亚湾水产资源省级自然保护区管理处。

主要受到污染、工业开发、过度捕捞等威胁。

20. 西江珍稀鱼类省级自然保护区

西江珍稀鱼类省级自然保护区重点调查湿地范围面积1914公顷，湿地面积为443.12公顷，主要湿地类型为永久性河流湿地。地理坐标为东经111°29′14″~111°33′32″，北纬23°17′28″~23°33′17″；位于封开县内。

调查中记录有湿地脊椎动物鱼类10目21科116种。

记录有国家重点保护鱼类2种。其中，国家Ⅰ级保护1种，国家Ⅱ级保护1种。

于2004年建立市级自然保护区，2009年晋升为省级自然保护区。受广东省海洋与渔业局管理，暂未建立专门管理机构，由广东省渔政总队肇庆渔政支队和封开渔政大队代管。

主要受到污染、过度捕捞等威胁。

21. 汕头湿地自然保护区

汕头湿地自然保护区重点调查湿地范围面积3.4万公顷，湿地面积为9646.04公顷，主要湿地类型为浅海水域、淤泥质海滩和红树林等。地理坐标为东经116°31′~116°54′，北纬23°14′~

23°34′；位于汕头市内。

调查中记录有湿地高等植物3门92科268种。

记录有国家重点保护野生植物11种。其中，国家Ⅰ级保护野生植物2种，国家Ⅱ级保护野生植物9种。

湿地植被可划分为3个植被型组，8个植被型，29个群系。

调查中记录有湿地脊椎动物5纲32目102科304种。其中，鱼类7目50科133种，两栖类1目5科14种，爬行类3目6科21种，鸟类16目35科127种，哺乳类5目6科11种。

记录有国家重点保护野生动物17种。其中，国家Ⅰ级保护野生动物2种，国家Ⅱ级保护野生动物15种。在国家Ⅱ级保护野生动物中，12种为湿地鸟类。

于2001年建立市级自然保护区。受广东省林业厅管理。

主要受到人为干扰威胁。

22. 惠东红树林自然保护区

惠东红树林自然保护区重点调查湿地范围面积533.3公顷，湿地面积为330.21公顷，主要湿地类型为红树林湿地。地理坐标为东经114°40′～115°00′，北纬22°30′～22°55′；位于惠州市惠东县内。

调查中记录有湿地高等植物7科10属13种。

调查中记录有湿地脊椎动物5纲27目95科276种。其中，鱼类7目50科129种，两栖类1目3科6种，爬行类3目6科21种，鸟类16目35科115种，哺乳类1目1科5种。

于2000年建立市级自然保护区，受惠东县林业局管理，管理机构为惠东县林业局野生动植物保护管理站。

主要受到人为干扰威胁。

23. 电白红树林自然保护区

电白红树林自然保护区重点调查湿地范围面积1950公顷，湿地面积为1542.75公顷，主要湿地类型为红树林、河口水域和淤泥质海滩等。地理坐标为东经110°54′～111°29′，北纬21°22′～21°59′；位于电白区内。

调查中记录有湿地高等植物6科8属8种。

调查中记录有湿地脊椎动物4纲11目16科44种。其中，两栖类1目4科10种，爬行类2目4科13种，鸟类7目7科16种，哺乳类1目1科5种。

于1999年建立市级自然保护区，受茂名市林业局管理，成立了电白区红树林保护区管理总站。

主要受到基建和城市建设、围垦、水利工程和引排水的负面影响等威胁。

24. 恩平镇海湾红树林自然保护区

恩平镇海湾红树林自然保护区重点调查湿地范围面积666.7公顷，湿地面积为115.31公顷，主要湿地类型为红树林湿地。地理坐标为东经112°21′9″～112°23′55″，北纬21°55′47″～22°03′10″；位于江门市恩平县内。

调查中记录有湿地高等植物1门7科7属7种。

湿地植被可划分为1个植被型组，1个植被型，3个群系。

调查中记录有湿地脊椎动物3纲13目29科48种。其中，两栖类1目3科6种，鸟类8目21科34种，哺乳类4目5科8种。

记录有国家重点保护野生动物4种。其中，国家Ⅱ级保护野生动物2种，1种为国家Ⅱ级保护湿地鸟类。

于2005年建立县级自然保护区。由恩平市林业局管理，成立了红树林保护管理站。

主要受到人为活动影响、台风、潮汐等威胁。

25. 台山市镇海湾红树林自然保护区

台山市镇海湾红树林自然保护区重点调查湿地范围面积869.78公顷，湿地面积为869.78公顷，主要湿地类型为红树林湿地。地理位置东经112°25′~113°10′，北纬21°35′~22°10′；位于江门市台山市内。

调查中记录有湿地高等植物10科11属12种。

调查中记录有湿地脊椎动物3纲13目29科48种。其中，两栖类1目3科6种，鸟类8目21科34种，哺乳类4目5科8种。

记录有国家重点保护野生动物4种。其中，国家Ⅱ级保护野生动物2种。在国家重点保护野生动物中，有湿地鸟类1种，为国家Ⅱ级保护鸟类。

于1999年建立县级自然保护区。由林业部门管理，未成立专门的管理机构，由台山市林业局下属的深井、北陡、汶村等镇的林业站负责日常管护工作。

主要受到过度养殖、水体富营养化等威胁。

26. 阳西濠光红树林自然保护区

阳西濠光红树林自然保护区重点调查湿地范围面积2000公顷，湿地面积为1940.78公顷，主要湿地类型为红树林、淤泥质海滩和河口水域。地理坐标为东经21°31′~21°55′，北纬111°45′~111°49′；位于阳西县内。

调查中记录有湿地高等植物2门8科12属12种。

调查中记录有湿地脊椎动物2纲2目4科12种。其中，两栖类1目3科6种，哺乳类1目1科6种。

于2005年建立县级自然保护区，受阳西县林业局管理，成立了阳西濠光红树林自然保护区管理站。

27. 江城平冈红树林自然保护区

江城平冈红树林自然保护区重点调查湿地范围面积800公顷，湿地面积为232.98公顷，主要湿地类型为红树林。地理坐标为东经112°25′~113°10′，北纬21°35′~22°10′；位于江城区内。

调查中记录有湿地高等植物2门8科12属12种。

调查中记录有湿地脊椎动物1纲2目4科10种。其中，鸟类4目4科10种。

于2005年建立区级自然保护区，受阳江市林业局管理，具体的管理和保护工作由平岗镇林业管理站负责。

主要受到围垦威胁。

28. 肇庆星湖国家湿地公园

肇庆星湖国家湿地公园重点调查湿地范围面积935公顷，湿地面积为642公顷，主要湿地类型为永久性淡水湖湿地。地理坐标为东经112°26′~112°30′，北纬23°03′~23°05′；位于肇庆市端州区内。

调查中记录有湿地高等植物4门114科201属306种。记录到外来植物2科2属2种。

记录有国家重点保护野生植物1种，为国家Ⅰ级保护野生植物。

湿地植被可划分为5个植被型组。

调查中记录有湿地脊椎动物5纲34目85科393种。其中，鱼类5目14科71种，两栖类1目5科13种，爬行类2目6科25种，鸟类21目51科163种，哺乳类5目9科21种。

记录有国家重点保护野生动物26种。其中，国家Ⅰ级保护野生动物1种，国家Ⅱ级保护野生动物25种。在国家重点保护野生动物中，有湿地鸟类23种。其中，国家Ⅰ级保护鸟类1种，国家Ⅱ级保护鸟类22种。

于2004年建立省级湿地公园，2013年晋升为国家级湿地公园，受肇庆星湖风景名胜区管理局管理，成立了肇庆星湖国家湿地公园管理中心。

主要受到水污染威胁。

29. 茂名大洲岛省级湿地公园

茂名大洲岛省级湿地公园重点调查湿地范围面积380公顷，湿地面积为280公顷，主要湿地类型为红树林和海岸性咸水湖。地理坐标为东经110°54′~111°02′，北纬21°27′~21°46′；位于电白区内。

调查中记录有湿地高等植物9科10属17种。记录到外来植物2科2属3种。

调查中记录有湿地脊椎动物11目16科32种。主要为鸟类。

记录有国家重点保护野生动物8种。其中，国家Ⅰ级保护野生动物4种，国家Ⅱ级保护野生动物4种。在国家重点保护野生动物中，有湿地鸟类5种。其中，国家Ⅰ级保护鸟类4种，国家Ⅱ级保护鸟类1种。

于2005年建立省级湿地公园。受广东省林业厅管理。

主要受到水污染威胁。

30. 珠海市斗门黄杨河华发水郡省级湿地公园

珠海市斗门黄杨河华发水郡省级湿地公园重点调查湿地范围面积60公顷，湿地面积为51.08公顷，主要湿地类型为河口水域和潮间盐水沼泽。地理坐标为东经113°18′24″~113°18′43″，北纬22°09′22″~22°10′23″；位于珠海市斗门区。

调查中记录有湿地高等植物12科13属16种。

调查中记录有湿地脊椎动物3纲6目12科18种。其中，鱼类4目8科11种，两栖类1目1科1种，鸟类1目3科6种。

于2009年建立省级湿地公园。受广东省林业厅主管，由珠海华发实业股份有限公司管理。

31. 湛江湖光红树林省级湿地公园

湛江湖光红树林省级湿地公园重点调查湿地范围面积667公顷，湿地面积为367.6公顷，主要湿地类型为河口水域和红树林。地理坐标为东经111°24′，北纬21°06′；位于湛江市麻章区。

调查中记录有湿地高等植物8科10属13种。

调查中记录有湿地脊椎动物3纲6目12科18种。其中，鱼类4目8科11种，两栖类1目1科1种，鸟类1目3科6种。

于2005年建立省级湿地公园。主管部门为湛江市林业局，未成立专门的管理机构。

32. 广州南沙湿地

广州南沙湿地重点调查湿地范围面积666.67公顷，湿地面积为573.79公顷，主要湿地类型为红树林、水产养殖场和库塘湿地。地理坐标为东经113°31′44″～113°41′09″，北纬2°33′52″～22°54′14″；位于广州市南沙区内。

调查中记录有湿地高等植物3门90科318种。

调查中记录有湿地脊椎动物2纲24目59科185种。其中，鱼类7目17科36种，鸟类17目42科149种。

记录有国家重点保护野生动物21种。其中，国家Ⅰ级保护鸟类1种，国家Ⅱ级保护鸟类11种。

主要受到水污染威胁。

33. 乳源南水水库

乳源南水水库重点调查湿地范围面积6300公顷，湿地面积为3254.96公顷，主要湿地类型为库塘湿地。地理坐标为东经113°0.8′～113°12′，北纬24°39′～24°58′；位于乳源县内。

调查中记录有湿地高等植物3门177科585属983种。记录到外来植物12科27属31种。

记录有国家重点保护野生植物9种，均为国家Ⅱ级保护。

湿地植被可划分为5个植被型组，9个植被型，16个群系。

调查中记录有湿地脊椎动物5纲45目28科235种。其中，鱼类4目10科33种，两栖类1目4科9种，爬行类3目10科35种，鸟类14目41科137种，哺乳类6目12科21种。

记录有国家重点保护野生动物24种。其中，国家Ⅰ级保护野生动物1种，国家Ⅱ级保护野生动物23种。在国家重点保护野生动物中，有鸟类22种。其中，国家Ⅰ级保护鸟类1种，国家Ⅱ级保护鸟类21种。

于2009年晋升为国家级湿地公园。受乳源县人民政府管理，成立了乳源南水湖湿地公园管理处。

主要受到养殖、污染等威胁。

参考文献

[1]邓小兵，唐辉远．中山生物物种资源[M]．北京：科学出版社，2007.

[2]董安强，陈林，郑希龙，等．广东植物区系新资料[J]．广西植物，2012，32(4)：450～451.

[3]关于统筹全省水资源保护及开发利用问题的若干意见．粤府〔2008〕13 号．广东省人民政府，2008 年 2 月 22 日.

[4]广东年鉴编纂委员会．广东省情数据库[DB]．广东省志 2004. http：//suixx. gd－info. gov. cn/books/dtree/showbook. jsp？ stype＝v&paths＝10645&siteid＝guangdong&sitename＝广东省情网.

[5]广东年鉴编纂委员会．广东省情数据库[DB]．广东年鉴 2009. http：//suixx. gd－info. gov. cn/books/dtree/showbook. jsp？ stype＝v&paths＝10581&siteid＝guangdong&sitename＝广东省情网.

[6]广东年鉴编纂委员会．广东省情数据库[DB]．广东年鉴 2013. http：//suixx. gd－info. gov. cn/books/dtree/showbook. jsp？ stype＝v&paths＝18392&siteid＝guangdong&sitename＝广东省情网

[7]广东省地方史志编纂委员会．广东省志・水利志[M]．广州：广东人民出版社，1995.

[8]广东省地方史志编纂委员会．广东省志・海洋与海岛志[M]．广州：广东人民出版社，2000.

[9]广东省地方史志编纂委员会．广东省志・总述[M]．广州：广东人民出版社，2004.

[10]广东省海洋功能区划(2011～2020 年)．广东省人民政府，2013.

[11]广东省海洋与渔业局．2008 年广东省海洋环境质量公报[R]．广州：广东省海洋与渔业局，2009.

[12]广东省海洋与渔业局．2013 年广东省海洋环境状况公报[R]．广州：广东省海洋与渔业局，2014.

[13]广东省农村统计年鉴编辑委员会．广东农村统计年鉴[M]．北京：中国统计出版社，2009.

[14]广东省湿地保护工程规划(2006～2030 年)．广东省林业局，2007.

[15]广东省水资源概况[EB/OL]．2008 年 9 月．广东省水利厅网页．http：//www. gdwater. gov. cn/yewuzhuanji/szygl/szygk/200809/t20080923_ 24763. html.

[16]广东省土地利用总体规划(2006～2007 年)．广东省人民政府，2009.

[17]国家林业局．全国湿地资源调查技术规程(试行)(R)．2008.

[18]环境统计数据 2009．各地区水资源情况[DB]．中华人民共和国国家统计局网站．http：//www. stats. gov. cn/ztjc/ztsj/hjtjzl/2009/201011/t20101130_ 70694. html.

[19]黄川腾．广东北江流域沉水植物调查及群落物种多样性研究[D]．广州：华南农业大学林学院，2012.

[20]廖宝文，吴敏，粟娟，等．南沙湿地环境与生物多样性[M]．广州：广东科学技术出版社，2013.

[21]廖宝文，许方宏．广东省雷州半岛发现较大面积的半红树植物——玉蕊[J]．湿地科学 2012，8(4)：39.

[22]丘华兴，陈炳辉，曾飞燕．值得注意的中国南部植物[J]．广西植物，2008，28(6)：721～723.

[23]深圳市土地利用总体规划(2006～2020 年)．深圳市规划和国土资源委员会，2010.

[24]田自强．中国湿地及其植物与植被[M]．北京：中国环境科学出版社，2011.

[25]王文卿，王瑁．中国红树林[M]．北京：科学出版社，2007.

[26]曾宪锋，庄雪影，刘全儒，等．广东东部植物区系与植物群落研究[M]．北京：科学出版社，2011.

[27]张奠湘，李世晋．南岭植物名录[M]．北京：科学出版社，2011.

[28]赵俊，易祖盛，周先叶，等．广州市水生动植物本底资源[M]．北京：科学出版社，2010.

[29]中国科学院华南植物园．广东植物志(第一至九卷)[M]．广州：广东科学技术出版社，2009.

[30]中国自然资源丛书编撰委员会．中国自然资源丛书・广东卷(第 1 版)[M]．北京：中国环境科学出版社，1996.

附　件

广东湿地资源调查专家组及参加人员

调查专家组成员：

专家组顾问：陈桂珠（中山大学，教授）

组　长：刘凯昌（省林业调查规划院，教授级高工）

林　业：李小川（省林业科学研究所，研究员）

红树林：廖宝文（中国林科院热林所，研究员）

野生稻：刘向东（华南农业大学，教授）

植　物：张奠湘（中科院华南植物园，研究员）

野生鸟兽类：邹发生（华南濒危动物研究所，研究员）

水生生物：林小涛（暨南大学水生科学研究所，教授）

遥 感：魏安世（省林业调查规划院，高级工程师）

调查主要参加人员：

林　术　林寿明　许文安　郭盛才　王喜平　胡喻华　陈　盼　张伟彬　陈鹏飞　叶金盛
张春霞　罗发民　陈寿坤　黄穗昇　罗广军　彭威雄　陈秋菊　练　丽　陈汶峰　谭志权
杨佐兵　陈　斐　梁银凤　吴欢燕　肖嘉杰　魏安世　李　伟　秦　琳　黎颖卿　黄宁辉
张华英　丁　胜　杨志刚　陈　鑫　汪求来　邓　剑　陈莲好　许　超　蓝芝顺　吴晓东
陈金光　廖远芳　李泽荣　张　雄　陈俊旭　郑礼琼　廖　波　马胜红　田丽华　蔡　尚
李继文

后　记

广东省湿地类型多、面积大，包括5大类21个湿地型，总面积为175.34万公顷。其中，近海与海岸湿地、人工湿地和河流湿地面积占湿地总面积99.71%；沼泽湿地和湖泊湿地只占0.29%。

广东省湿地分布呈明显的地域性特点：

(1)近海与海岸湿地面积大、类型多，红树林面积全国最多、分布广。广东省的近海与海岸湿地面积有81.51万公顷，占全省湿地的46.49%。其中，浅海水域面积最大，有51.84万公顷，占同类湿地的63.60%；红树林沼泽湿地多、分布广，红树林面积1.97万公顷，广东省沿海滩涂广泛生长着红树林，从广东省最东边饶平县沿海到最西边廉江市沿海均生长着不同种类的红树林，红树林的种类有14科20属22种。

(2)人工湿地多，沿海地区和珠江三角洲水产养殖场面积大。广东省人工湿地59.53万公顷，占湿地总面积的33.95%。水产养殖场面积为36.45万公顷，占人工湿地面积的61.24%。按流域统计，珠江三角洲的水产养殖场面积14.49万公顷，占同类型面积的39.75%；滨海地区水产养殖场面积15.44万公顷，占同类面积的42.36%。广东省的现代养殖业非常发达，主要集中在珠江三角洲地区和滨海地区，并且还有增长趋势。

(3)河流湿地多，永久性河流分布全省。广东省地处珠江流域下游，河流遍布全省各地。粤北有北江、西江，粤东有韩江，粤西有鉴江、漠阳江，珠江三角洲有东江和珠江纵横交错的河道。永久性河流面积为32.06万公顷，占全省湿地总面积的18.29%。

(4)湿地动植物种类丰富。广东湿地植物共有高等植物623种，分属于93科，253属。其中苔藓植物3科3属3种；蕨类植物9科9属15种；裸子植物1科3属4种；被子植物80科238属601种(其中双子叶植物58科131属276种，单子叶植物22科107属325种)。广东湿地野生动物种类有水鸟13目23科155种，鱼类22目86科467种，兽类4目4科11种，爬行类2目6科37种，两栖类2目9科32种。

在外业调查完成的基础上，2009年12月底，完成湿地资源调查的数据录入工作，并进行数据汇总和报告撰写工作；2010年1月，在国家林业局中南林业调查规划设计院的指导下，完成湿地资源调查报告(评审稿)和成果图；2010年3月，广东省林业局组织相关领域的专家对《第二次全国湿地资源调查——广东省湿地资源调查报告(评审稿)》进行评审，并通过专家论证，编写组修改完善后完成《广东省湿地资源调查报告》并报送广东省湿地资源调查领导办公室；同月，国家林业局湿地保护管理中心第二次全国湿地资源调查验收工作组对广东省的湿地资源调查工作进行了验收，湿地资源调查工作总体质量评定为“优良”。

本书的主要内容包括：①广东省的自然地理概况和社会经济状况；②各湿地湿地类型与面积、湿地分布规律与湿地特点；③湿地生物资源；④湿地资源利用方式及其利用现状以及可持续利用前景分析；⑤湿地资源评价、湿地资源变化及其原因分析；⑥湿地保护管理现状和保护管理建议。

本书第一章由许文安编写，第二章由郭盛才编写，第三章由胡喻华编写，第四章由屈明编写，第五章由陈盼和张春霞编写，第六章由张春霞编写，附录1和附录2由胡喻华编写，附录3和相关图表由陈盼编制，文中照片由梁银凤和黄穗昇收集整理。

本次湿地资源调查工作得到了国家林业局湿地保护管理中心、国家林业局调查规划设计院以及国家林业局中南林业调查规划设计院的大力支持。在调查过程中，得到了广东省湿地联席会议相关组成部门和各市、县林业行政主管部门及自然保护区管理单位的大力配合，得到了中山大学、华南农业大学、中国林科院热带林业研究所、中科院华南植物园、广东省林业科学研究院、华南濒危动物研究所、暨南大学水生科学研究所、华南师范大学生命科学学院等科研院所的大力支持。在本书的编写过程中，还得到中国林业出版社的有关专家的支持与指导。在此，一并表示衷心的感谢！

《中国湿地资源·广东卷》编写组

2015年12月